Lo que los HÁBITOS dicen de NOSOTROS

Lo que los HÁBITOS dicen de NOSOTROS

La chica que muerde sus uñas y el hombre que siempre llega tarde

Ann Gadd

Grupo Editorial Tomo, S.A. de C.V.,
Nicolás San Juan 1043,
03100, México, D.F.

1a. edición, octubre 2008.

Primero publicado en inglés por
Findhorn Press en 2006
www.findhornpress.com

Nicolás San Juan 1043, Col. Del Valle
03100 México, D.F.
Tels. 5575-6615, 5575-8701 y 5575-0186
Fax. 5575-6695
http://www.grupotomo.com.mx
ISBN-13: 978-607-415-019-3
Miembro de la Cámara Nacional
de la Industria Editorial No. 2961

Traducción: Ivonne Saíd M.
Diseño de portada: Trilce Romero
Formación Tipográfica: Lorenza Cecilia Morales U.
Supervisor de producción: Leonardo Figueroa

Este libro se publicó conforme al contrato establecido entre
Findhorn Press y *Grupo Editorial Tomo, S.A. de C.V.*

Impreso en México - *Printed in Mexico*

Dedicado a Ruth y a Stan,
con amor y gratitud

Reconocimientos

Estoy profundamente agradecida con las personas que compartieron sus historias conmigo para ayudarme a comprender los diversos comportamientos. Estoy muy agradecida porque muchos recursos aparecieron justo cuando más los necesitaba. Mi agradecimiento a Anthony, Tess y Taun por su comprensión, apoyo y amor, y a todos los amigos y familiares que me apoyaron durante todo el proceso. Gracias también a Karin Bogliolo, mi editor, por sus maravillosas palabras: "Estoy aquí sentado, con una enorme sonrisa en mi rostro…", que atravesaron continentes para hacer realidad este libro. Un agradecimiento especial a todos los profesores que, consciente e inconscientemente, inspiraron y ampliaron mis ideas. Gracias.

Descargo de responsabilidad: La información contenida en este libro no tiene la intención de reemplazar la atención o terapia de un médico certificado u otro profesional de la salud. Las personas que deseen cambiar de dieta, medicamentos, ejercicio u otro, para evitar o tratar un hábito o una enfermedad específica, primero deben consultar, o solicitar la guía, de un médico profesional certificado.

Introducción

Uno conoce a los filósofos en los lugares más extraños; por ejemplo, Bert, el propietario de un hotel en un sitio remoto de Transkei, en la costa este de África.

Me protegí del ardiente sol africano en el bar donde Bert se encontraba bebiendo cerveza, una costumbre que, a juzgar por el tamaño de su vientre, disfrutaba a menudo. "Mira", me dijo después de darle un largo trago a la botella, "no te imaginas cuántos turistas vienen al hotel y nunca salen de las instalaciones".

Esas palabras me tomaron por sorpresa, ¿cómo puede uno venir hasta acá y no salir a disfrutar la belleza del lugar? A pesar de que la travesía a veces fue incómoda y en otras ocasiones terriblemente aterradora, estábamos felices. Superamos el miedo que nos provocaba lo desconocido.

La aventura inició en algo que difícilmente puede llamarse camino, pues en realidad era una serie de baches unidos por lodo y rocas. Luego de que uno de los hoyos nos forzara a detenernos, continuamos la marcha acompañados cuando menos de unos veinte habitantes del pueblo, que se amontonaron en el interior de la camioneta y, cuando ésta estuvo llena a reventar, se acomodaron en el techo y el capote para disfrutar del viaje gratis. Esto le provocó un problema de visibilidad al conductor, sobre todo cuando tuvo que bajar una peligrosa pendiente de 60 grados de inclinación. Más tarde, caminamos bajo el calor abrasador sorteando los arbustos que albergaban a miles de insectos hambrientos que tenían meses esperando a los desprevenidos turistas. Y por si eso fuera poco, una serpiente de metro y medio de largo nadó junto a mí cuando cruzamos el lago...

Ahora entendía por qué el hotel ejercía una atracción magnética. ¿Cuántas personas prefieren no explorar el mundo exterior por miedo a enfrentar lo que prefieren evitar? De igual forma, preferimos que nuestro yo emocional se relaje en lugar de que llegue a lo más profundo de su funcionamiento, y creemos que eso nos hace más felices.

Pocas veces nos agrada comprender las cosas. Pero entre más cosas comprendemos, nos volvemos menos propensos a conservar viejos hábitos. Y aunque descubrir aspectos nuevos de nuestro mundo físico puede convertirse en un desafío, conocer mejor nuestro mundo emocional resulta inquietante. Por lo tanto, quizá te cueste un poco de trabajo leer este libro. Necesitamos valor para enfrentarnos a nuestro lado oscuro y casi nunca estamos preparados para ello, pues reaccionamos con hostilidad y rechazo a las ideas que amenazan la imagen que hemos creado de nosotros mismos.

Nuestro lado oscuro es donde ocultamos esas partes de nuestro ser que nos parecen inaceptables, o que la familia y la sociedad dicen que no están bien. Pero lo llevamos con nosotros, casi siempre ajenos a su existencia, y se asoma dolorosamente a través de nuestro comportamiento cuando menos lo esperamos. Así que igual que los turistas que visitan el hotel de Bert, decidimos no explorar porque tenemos la esperanza de que la molestia desaparezca si la evitamos.

Pero es en el lado oscuro donde generalmente encontramos la luz, y sólo trabajando los problemas y liberándonos de ellos logramos alcanzar la verdadera paz y la integridad. Igual que el paseo por los alrededores africanos, el viaje no siempre resulta agradable, pero la recompensa de volvernos más conscientes bien vale el esfuerzo. En este libro leerás información sobre tus hábitos que tal vez te provoque irritación y te parezca que carece de validez, pero la causa de esta reacción es que te das cuenta que necesitas cambiar y, como todos sabemos, para muchos de nosotros la idea de cambiar es tan atractiva como un baño de agua fría en invierno.

La vida es mucho más que la lucha diaria por sobrevivir, se trata de encontrar a nuestro verdadero yo, nuestra integridad (divinidad). Y para lograrlo, tenemos que escarbar en capas y capas de percepciones e ideas fijas que hemos creado con respecto a lo que somos. Pero considera este libro como un instrumento que te ayudará a atravesar ese proceso.

Habrá lectores que decidan no trabajar con el contenido de este libro, y está bien. Pero a aquellos que cuenten con la perseverancia y el valor para hacerlo, les deseo que la aventura los conduzca a un nivel más profundo de comprensión, compasión, alegría y maravillosa paz.

Parte uno

Hábitos,

un panorama general

Capítulo uno

Los hábitos y por qué se desarrollan

Un impulso momentáneo, un gusto ocasional, un capricho pasajero, si repetimos estas acciones continuamente pueden convertirse en un hábito difícil de erradicar, un deseo incontrolable y finalmente una acción automática que ya no se cuestiona. Si satisfacemos un deseo una y otra vez, lo transformamos en un hábito que puede convertirse en una compulsión.

Nyanaponika Thera[1]

Mentimos, perdemos las llaves constantemente, dejamos cosas para después, nos mordemos las uñas, somos impuntuales, roncamos, jugamos con nuestro cabello, bebemos demasiado café o fumamos veinte cigarrillos al día.

Casi todas las personas se identifican cuando menos con uno de los ejemplos anteriores, ¡por no decir que con todos! Esos hábitos, junto con otros miles más no mencionados, pueden resultar irritantes o perjudiciales para la salud a largo plazo, pero alivian la tensión en el instante. Cuando estamos molestos, tristes o enojados, fumar un cigarrillo o mordernos las uñas nos ayuda a liberar el estrés causado por la emoción, aunque después nos arrepintamos. Cosa que sucede cuando fumamos y tenemos que subir cinco pisos por las escaleras, o si tenemos que esconder las manos durante una cita justo después de haber pasado por una intensa sesión de uñas mordidas.

Sin embargo, insistimos en repetir los comportamientos sin sentido y perjudiciales sin preguntarnos por qué los hacemos. Ni siquiera el riesgo de perder el empleo, una relación cercana, la salud o el respeto de los demás es motivo suficiente para hacernos cambiar.

Todos repetimos comportamientos que nos hacen daño, ya sea a nivel emocional, mental, espiritual o físico. Aquellos que aceptamos nuestros hábitos no debemos sentirnos mal, pues en mis años de experiencia como terapeuta y médico de medicina alternativa, no he conocido una sola persona que no tenga hábitos negativos. Es posible que en este punto tú, lector, digas que no tienes comportamientos negativos. Y es probable que no muerdas las cosas, ni tengas adicciones ni desviaciones sexuales. Pero antes de presumir, pregúntale a tu pareja, amigos, familiares o compañeros de trabajo qué hábitos tienes, y te llevarás una gran sorpresa.

Quizá aún no te has dado cuenta de que hablas muy alto, te rascas la entrepierna cuando estás pensando, aspiras fuerte o juegas con los vellos de la nariz. Muchas de las personas que entrevisté para este libro quedaron muy sorprendidas al descubrir que tenían hábitos de lo cuales no eran conscientes. Y tal vez tus malos hábitos no son tan obvios como la adicción al tabaco, a las drogas o al alcohol, pero le pones tres cucharadas de azúcar al té, te cuesta trabajo resistirte al chocolate o te quedas callado en vez de expresar la ira que realmente sientes.

¿Por qué los hábitos son parte de nuestra existencia? Hasta ahora hemos pasado por alto, negado o ignorado nuestros hábitos; sin embargo, una vez que comprendemos mejor la relación que existe entre la mente y el cuerpo, entendemos que hay una conexión entre lo que hacemos físicamente y lo que sentimos emocionalmente.

SUBE Y BAJA, DESEQUILIBRIO

Imaginemos que nuestras emociones son como un sube y baja. Cuando éste se encuentra paralelo al piso, está en perfecto equilibrio; pero cuando se inclina, un extremo queda arriba (exaltación) y el otro abajo (depresión). Lo que altera nuestro equilibrio son los problemas con la gente o las circunstancias que provocan en nosotros emociones fuertes. Entre más grande es el peso o la carga de esas situaciones, menor es la probabilidad de que el sube y baja conserve su equilibro y, por lo tanto, somos más propensos a sufrir cambios de humor, inestabilidad y emociones negativas. Cuando conservamos el equilibrio permanecemos tranquilos, sin importar lo que suceda en el resto del parque al que llamamos vida.

Cada vez que intentamos equilibrar el sube y baja, una persona o situación deja caer una carga de diez toneladas en el otro extremo y ¡zas!, nos desequilibra (nos deja balanceándonos) y nos estresa, sin importar que practiquemos yoga, técnicas de respiración o cualquier otro método de relajación para evitar el estrés. Entonces, cuando estamos estresados y emocionalmente exhaustos, inevitablemente regresamos a nuestros viejos hábitos y cambiamos la dieta vegetariana por una hamburguesa y un refresco, o el yoga por una cerveza, para sentirnos mejor. Pero el problema es que lo único que logramos con esa actitud es empujar ese lado del sube y baja directo a la tierra, y qué importa cuánto tiempo pasemos esperando a que la persona o el trabajo ideales se sienten en el lado opuesto para equilibrar las cosas, simplemente no alcanzamos la meta que nos propusimos.

Con el paso del tiempo, todo este estrés nos consume y entonces descubrimos que no tenemos la voluntad, la energía o el deseo de enfrentarnos a las situaciones que hacen que el sube y baja se mueva de manera descontrolada. Mejor nos damos por vencidos y nos consolamos, sumidos en la depresión, con el hábito de nuestra preferencia.

LO BUENO, LO MALO Y LO FEO

Todos tenemos dos aspectos, uno que actúa de acuerdo con nuestra conciencia y otro que la desafía o la menosprecia. Experimentamos ese sentimiento cuando ya nos comimos cinco chocolates y la voz "mala" nos dice:

"Cómete el último chocolate, no importa que casi te hayas acabado la caja. No te detengas, te sabrá delicioso y sería una pena que se lo dieras a los niños".

A lo cual nuestra conciencia, o la voz "buena", contesta: *"No, no puedo. Me hace daño".*

Y llega la réplica: *"Por Dios, vive el momento. ¡Disfrútalo! Olvídate de la dieta. No pasa nada si te comes otro chocolate".*

Seguimos esa dinámica, aunque se trate de algo insignificante como un chocolate, o algo importante como defraudar a la empresa donde trabajamos. Nuestros hábitos no hacen diferencias y nos demuestran que "el chico malo", o nuestro yo inferior, que habita dentro de nosotros ignora por completo nuestros ideales.

Queremos estar en forma y sanos, pero no paramos de comer comida chatarra ni de fumar. Queremos ser honestos, sin embargo mentimos para eludir nuestra responsabilidad. Si deseamos convertirnos en mejores seres humanos, debemos enfrentar nuestros lados oscuros.

No queremos reconocer que perdimos la batalla perpetua, que ignoramos la voz del "chico bueno" que nos beneficia a largo plazo y que preferimos escuchar la maravillosa voz del "chico malo", que sólo nos alivia en el corto plazo. Después nos sentimos mal o culpables y eso nos provoca estrés, el cual debemos eliminar, y entonces nos alentamos para continuar el ciclo. Los malos hábitos, a través de su continua repetición, son el mejor medio para comprender hasta qué punto impedimos nuestra salud y felicidad.

Para demostrar que reconocer nuestros hábitos nos ayuda a sanar, a continuación leerás el caso de una mujer que me escuchó hablar de los hábitos. Una vez que comprendió su problema, me envió un correo electrónico para compartir su experiencia conmigo. Sue es una mujer atractiva de treinta y tantos años, que trabajó como contadora para una importante empresa contable hasta que dejó el empleo para dedicarse a cuidar a sus dos hijos pequeños. Se casó con un hombre que conoció en el último año de la carrera y parecía que tenían un buen matrimonio, aunque a veces les fallaba la comunicación. A pesar de que por fuera se veía tranquila y serena, el enrojecimiento de la base de las uñas y sus uñas cortas y disparejas indicaban que las cosas no estaban tan bien como parecían. Sue recuerda que se mordía las uñas desde que tenía memoria y ningún tratamiento, por muy costoso que fuera, había funcionado. Uñas feas eran el precio que pagaba por unos minutos de alivio y la satisfacción de morder algo. Sue vino a mi consultorio por un asunto totalmente diferente, pero la conversación se desvió a sus uñas.

Leyó mi primer libro, *Cómo sanar los hábitos,* e inmediatamente se identificó con el tema de la ira reprimida, que es uno de los motivos por el que nos mordemos las uñas. "Cuando estaba muy enojada y molesta con mi esposo, mis hijos o mi suegra, me mordía las uñas. El mejor momento para hacerlo era cuando veía la televisión, estaba atorada en el tráfico o no tenía algo mejor que hacer con mis manos. Sin embargo, nunca se me ocurrió relacionar una cosa con la otra, es decir, que me mordía las uñas porque estaba enojada. Una vez que lo entendí y observé mi comportamiento con objetividad, comprendí la relación.

"Cuando descubrí que morderme las uñas y la represión de la ira estaban ligadas, decidí enfrentar las situaciones y las personas que me hacían enojar en el preciso momento en que lo hacían. Me acercaba al individuo con quien estaba enojada y le decía como me sentía, en lugar de evitarlo y guardarme el enojo. En ocasiones, con mi recién adquirida habilidad, me enojaba muchísimo y perdía los estribos, y tal vez no era lo mejor, pero ciertamente la situación atrajo su atención. A mi esposo le dije que si no cambiaba de actitud, no tendríamos sexo, no saldríamos de paseo ni haría lo que me pidiera. Al principio, me dio miedo alejarlo con esta actitud y que los demás no me entendieran. Sin embargo, haber expresado gran parte de mi molestia me enseñó a decir lo que siento sin tener que recurrir a palabras hirientes o duras".

Sue tiene una suegra manipuladora y demandante que tenía la costumbre de tratarla con mano de hierro. Desde qué comida preparar hasta su vida personal, la señora controlaba la vida familiar. Sue pasó muchos fines de semana en casa cuidando a la difícil mujer, mientras el resto de la familia salía a divertirse. Pero Sue también enfrentó esta situación: "Le dije a mi suegra que podía tomar sus críticas y metérselas por... Sobra decir QUE NO LE GUSTÓ lo que le dije y a la mañana siguiente recibí una llamada telefónica llena de agresiones. Más tarde, le dije a mi esposo que si su mamá no se disculpaba conmigo por lo que me había dicho, ya no sería bienvenida a mi casa... (Sí, ¡*mi* casa!) Y desde entonces, no tengo ninguna relación con ella. Las cosas han estado muy, pero muy tranquilas, y no puedo evitar pensar que es la calma antes de la tormenta. Sin embargo, me siento mejor preparada para enfrentar cualquier situación que surja.

"Hoy me doy cuenta que permití que me manipularan porque me daba miedo enojarme, o molestar a alguien, o no ser la esposa-madre-nuera perfecta.

"Curiosamente, decirle a cada cual como me siento, ha funcionado muy bien. Mi familia cree que cambié y prefiere a la mujer resentida y tímida que era. ¡Mi esposo me dice que estoy menopáusica! No le agrada ni un poquito que ahora sea expresiva, pero ya no estoy dispuesta a seguir siendo sumisa. Y no es que vaya por la vida buscando con quién pelear, es sólo que no pienso volver a aceptar el abuso mental. En verdad, es muy *fácil.* Después de todos estos años, sé que no tengo que aceptarlo. Una vez que me deshice de la frustración, se acabó mi deseo de morderme las uñas y el dolor agudo y punzante que se me clavaba en el pecho, generalmente seguido por un intenso dolor de cabeza.

"Ahora, los domingos, cuando veo la televisión, me hago una manicura completa, lo que me ha ayudado a mejorar el aspecto de mis uñas. Todavía hay estrés en mi vida, pero lo libero haciendo ejercicio en la caminadora del gimnasio y con técnicas de respiración, que sirven muchísimo".

Sue decidió irse de fin de semana con sus amigas, cosa que antes le daba mucho miedo hacer, pero aceptó gracias a su nueva actitud. "El descanso me cayó de maravilla, sentí que había salido de vacaciones, aunque sólo estuve fuera una noche y dos días. Mi familia se las arregló muy bien sin mí y mis uñas siguen luciendo espléndidas".

Otro caso de recuperación de un mal hábito es el de un hombre de 40 años que roncaba. Cada noche, Sean volvía loca a su esposa con su sinfonía de ronquidos. Las vacaciones en familia eran un desastre, pues el resto de los integrantes se quejaba que no podía dormir a causa de los ronquidos de Sean, que resonaban con fuerza por toda la cabaña.

Consciente de las molestias que ocasionaba, Sean empezó a probar con cualquier cantidad de almohadas, *sprays* para la garganta, tiras adheribles para la nariz, tés de hierbas y vibradores para la muñeca, sin éxito alguno. Sean y su esposa estaban desesperados. "No se trataba de un ronquido fuerte y tranquilo, sino que aumentaba antes de parar abruptamente, para luego volver a empezar. No era precisamente lo más excitante", dijo su esposa.

Roncar, como leerás en el capítulo cinco, tiene que ver con el bloqueo de nuevas experiencias, la resistencia al cambio y la ira que sentimos contra nosotros mismos o contra las personas que consideramos están impidiendo que cambiemos o que sigamos adelante.

En esa época, Sean tenía una compañía llena de problemas y se sentía incapaz de solucionarlos. Su socio casi no trabajaba y sus ingresos eran mayores. Si había que trabajar el fin de semana, Sean iba; si había que hacer un viaje de negocios, Sean se subía al avión y viajaba en clase turista, mientras su socio disfrutaba de las comodidades de la primera clase. Todos los empleados le reportaba a Sean, quien se encargaba de resolver los problemas diarios y las situaciones que se presentaban con el personal. Mientras, su socio leía el periódico.

Además de la ya desequilibrada sociedad, Sean estaba seguro de que su socio le robaba. Sin embargo, nada hizo porque se sentía incapaz de administrar solo la empresa. En lugar de enfrentar a su socio y arriesgarse a dar por terminada la sociedad, decidió guardar silencio. Estaba enojado con la situación y con su incapacidad para cambiarla. Entonces, para no enfrentar el rumbo que había tomado su vida, Sean desarrolló una gran afición por el alcohol, lo que sólo incrementó los ronquidos y añadió más kilos a los que ya tenía de más.

Como suele suceder cuando nos resistimos a los cambios, la vida nos da algunas sorpresas para obligarnos a aceptarlos. Y Sean no fue la excepción, cuando la suma de dinero robada fue tan grande e imposible de ocultar, tuvo que actuar. Después de una larga batalla, logró deshacerse del intrigante y tramposo socio. De repente, al verse frente al timón, descubrió que era perfectamente capaz de dirigir la empresa solo y hacer los cambios que deseaba.

Al hacerlo, su necesidad de consumir alcohol diminuyó (aunque seguía bebiendo), sus ronquidos bajaron de intensidad y con el tiempo desaparecieron. Desde entonces, ha hecho más cambios en su vida porque se dio cuenta de que entre más cambios hacía, menos temor les tenía. Su necesidad de producir esos gruñidos a los que llamamos ronquidos se esfumó, y no sólo porque consumía menos alcohol, sino porque ya no estaba enojado ni resentido con su socio. Se deshizo de la necesidad de estar enojado consigo mismo y de evitar que los demás intentaran cambiar la situación y a él.

Sean me escuchó hablar sobre los ronquidos y la relación que tienen con ciertos problemas emocionales en una conferencia que di sobre los malos hábitos, y al finalizar se acercó para decirme que se había identificado con las emociones que yo había descrito. "Siempre había querido saber por qué había dejado de roncar, pues no encontraba una explicación lógica. Todavía bebo, estoy un poco pasado de peso y a veces ronco, pero ahora sé que dejé de roncar porque entendí dónde estaba y hacia dónde iba. Y aunque parezca curioso, ahora es mi esposa quien ha empezado a roncar. Tal vez yo pueda ayudarla a hacer los cambios que tanto miedo le dan".

HÁBITOS Y PATRONES

Si tenemos un hábito negativo (contrario a un hábito positivo, como meditar) es porque no estamos en equilibrio y algunos aspectos de nuestra vida no están funcionando como deberían.

A través de la repetición, nuestros malos hábitos nos indican en qué parte del pasado nos quedamos estancados y qué asuntos debemos resolver para vivir plenamente en el ahora. Digamos, por ejemplo, que cuando eras niño, uno de tus padres te dijo que no valías nada y eso te hizo sentir insignificante. Es probable que hayas olvidado esas palabras hace mucho tiempo, pero se quedaron grabadas en tu inconsciente. Y justo cuando estás muy cerca de tener éxito en algo, el recuerdo inconsciente de que "eres insignificante" regresa y hace que crees un obstáculo o situación que detiene tu avance. Tal vez bebes demasiado en una fiesta de la oficina e insultas a la esposa del gerente, poniendo fin a tu ascenso. Quizá te demoras (dejas para después) en terminar un informe vital y entonces pierdes a un cliente importante; es posible que empieces a presumir tus logros con la intención de impresionar a alguien, consiguiendo lo contrario. Lo importante no es reconocer el comportamiento, sino el patrón. Reconocer dichos patrones comprendiendo tus hábitos, te ayuda a volverte más consciente de quién eres y qué patrones no te funcionan. Este reconocimiento te da la oportunidad de superar los patrones del pasado.

HÁBITOS QUE AYUDAN

Un compañero de trabajo continuamente derrama el café, nuestro hijo sigue mojando la cama o nuestro cónyuge siempre nos critica, y no entendemos qué motivos los impulsan a actuar así, lo que nos provoca confusión y nos hace reaccionar de tal manera, que después nos arrepentimos. Hay un dicho muy cierto: "Si quieres conocer a Andrés, vive con él un mes".

La información contenida en este libro es, pues, una excelente herramienta que te ayudará a entender por qué la gente actúa como actúa. Si logras entenderla mejor, quizá descubras que puedes ser más compasivo con ella y ayudarla a resolver una determinada situación. Lograrás más de esta manera que criticándolos con tus compañeros de trabajo.

Pero TEN CUIDADO. Una cosa es tratar de entender a alguien y sus problemas (una vez que reconoces los tuyos) y ayudarlos a descubrirlos por sí mismos, y otra completamente distinta es compartir con gente chismosa los detalles de por qué fulano hace lo que hace. Hablar honestamente con tu jefe y decirle que su hábito de ningunear a los demás no es otra cosa más que una máscara para disimular sus propias deficiencias, no es la mejor manera de hacer amigos y lo único que lograrás es que te despida. Usa la información contenida en los siguientes capítulos para *iluminarte* y no para apagar la chispa de los demás. No comentes los "problemas" de otros a menos que pidan tu opinión, y aun así, hazlo con compasión y cuidado.

Notas

1 Nyanaponika Thera: www.buddhanet. com

Capítulo dos

El estrés y los hábitos

En términos generales, el estrés es la principal causa emocional de los comportamientos negativos y repetitivos, y es provocado por muchos factores, como el miedo, el resentimiento, los celos, la ansiedad, etcétera. Estas causas subyacentes producen estrés. Éste es como una pincelada, los detalles emocionales más finos hacen que actuemos de una manera particular.

En este libro hablaremos del estrés y, siendo más específicos, analizaremos las razones emocionales que lo generan. La intención es que logremos comprender a profundidad nuestros hábitos y a nosotros mismos. Cuando entendemos por qué hacemos las cosas, es más fácil descubrir qué produce el comportamiento para eliminarlo o reducirlo al máximo. El estrés en sí no provoca los hábitos, sino las emociones que llenan de estrés nuestra vida cotidiana. Todas las cosas que reprimimos, y no las que expresamos, son las que nos generan estrés.

INCREMENTO EN LOS NIVELES DE ESTRÉS

Estrés es cuando te despiertas gritando y te das cuenta que aún no te has dormido.

Desconocido

En la actualidad, nuestras vidas son mucho más estresantes de lo que eran en el pasado. El psiquiatra Richard H.

Rahe realizó un estudio, publicado en Londres, en el que demostró que el estrés se ha incrementado 45%, en promedio, durante los últimos 30 años. Además, en otro estudio llevado a cabo con cinco mil directivos ingleses, mostró que el concepto de trabajo estable ya no existe en nuestro mundo, donde las fusiones y las reestructuraciones generan despidos frecuentes. De los cinco mil directivos entrevistados para la investigación, 61% vivió una reestructuración organizacional en el año en que se realizó el estudio.[1]

La ira y la agresión reprimidas que estas personas no pudieron expresar en mucho tiempo, junto con la sensación de impotencia, aumentaron los niveles de estrés y, en muchos casos, se convirtieron en depresión.

Cuando los altos ejecutivos deciden crear nuevas y mejores compañías, los individuos que no participan en el proceso se quedan con la sensación de haber perdido autoridad. Sienten que no controlan lo que sucede en su vida, como si fueran simples peones en el enorme tablero de ajedrez corporativo, donde el alto rendimiento no garantiza la conservación del empleo.

En 1990, en Gran Bretaña, una encuesta de fuerza laboral reveló que el 1% de la población padecía estrés relacionado con el trabajo, problemas de ansiedad o depresión. Tan sólo cinco años después, el porcentaje se elevó a 30%, y si la escala continuara, como sin duda lo ha hecho, el porcentaje actual sería mucho mayor. El promedio anual de absentismo por individuo debido al estrés y la depresión superó al de enfermedades músculo-esqueléticas (28 contra 19 días).[2]

Pero las personas que son despedidas no son las únicas que se encuentran bajo una fuerte carga de estrés, pues ciertos empleos también causan un alto grado de estrés. El mayor riesgo lo enfrentan los individuos que trabajan en la policía, los bomberos y el servicio penitenciario, donde el peligro físico genera un estrés constante. Después de estas ocupaciones, encontramos (debido al número de individuos afectados) las profesiones relacionadas con la salud y los servicios sociales (como dentistas, médicos, pediatras o enfermeras), la construcción especializada, el magisterio, la investigación, la electricidad y la metalurgia.[3]

Realizar varias tareas al mismo tiempo es muy estresante, sobre todo cuando se contraponen, como en el caso de una mamá que trabaja en casa. Atender simultáneamente las demandas de un niño de tres años y entregar el trabajo al cliente en la fecha acordada, es demasiado estresante. Los empleados de recién ingreso, que no están seguros de qué es lo que se espera de ellos, se estresan; e incluso una noticia supuestamente positiva, como un ascenso, también causa tensión. Demandas personales, métodos de administración inadecuados y la incomprensión entre las personas provocan una gran cantidad de estrés relacionado con el trabajo. Las presiones ocasionadas por el trabajo en equipo, donde el empleado se siente obligado a actuar de cierta manera o cumplir las expectativas de otros, también crean una gran tensión en el individuo.

Otra causa de estrés es el entorno. Si trabajas solo, en una oficina llena de gente, o que carece de privacidad, o donde la temperatura es muy alta o muy baja, o donde los niveles de ruido son elevados, descubrirás que se incrementa tu nivel de estrés. Un estudio publicado en el *Journal of Applied Social Psychology*, realizado por Laura Cousin Klein, profesora adjunta de la salud del biocomportamiento, en la Universidad de Pennsylvania, reveló que las mujeres sometidas a altos niveles de ruido en la oficina, como teléfonos que suenan constantemente, impresoras que trabajan sin parar y colegas que no dejan de hablar, se frustran y tienden a comer alimentos con más grasas que las dejen satisfechas (el doble de la porción habitual) que las mujeres que no acumulan tanta frustración. Klein dice: "*Lo interesante es que la gente se adapta a los periodos de ruido de la oficina. Hacen su trabajo, y lo hacen bien. Bloquean lo que sucede a su alrededor, pero pagan un precio mental y psicológico, pues una vez que el objeto que genera el estrés desaparece, surgen los problemas de comportamiento*".[4]

Exactamente así funcionan nuestros hábitos negativos. Las respuestas emocionales que suprimimos, provengan de factores ambientales, gente o situaciones, producen estrés, el cual generalmente liberamos a través de los hábitos. Entre más fuertes son las emociones reprimidas, mayor es la incidencia de los hábitos.

Pero las oficinas no son los únicos lugares donde se ha elevado el estrés. En casa, la estructura familiar tradicional está en vías de desintegración porque cada vez hay más madres o padres solteros que cargan solos con la enorme responsabilidad de criar a los hijos. Además de eso, tienen que hacer malabares para cumplir con jornadas laborales de tiempo completo, satisfacer las necesidades de los niños y las propias. Inevitablemente, las necesidades propias terminan quedándose a un lado, lo que aumenta la frustración y el nivel de estrés, ya que si no estamos satisfechos, literalmente, nos sentimos vacíos. Cuando estamos emocionalmente vacíos buscamos algo o alguien que llene ese espacio, y a veces nos equivocamos en la elección. Lo que suele suceder cuando un abusivo se aprovecha de nuestras necesidades, o bien nos volvemos adictos a alguna sustancia. Lo que a su vez eleva nuestro nivel de estrés hasta el cielo.

¿CÓMO SABES SI ESTÁS MUY ESTRESADO?

Tu biografía es tu biología.
Carolyn Myss[5]

Leí en un engomado: "Sabes que estás muy tenso cuando quieres que la impresora láser de la oficina no haga ruido". Debido a la capacidad que poseemos para desconectarnos de nuestras emociones (como describió Laura Cousin Klein) para poder hacer nuestras tareas, a menudo ignoramos lo estresados que estamos hasta que sufrimos un infarto, fatiga crónica o alguna otra enfermedad debilitante.

Incluso entonces, no hacemos caso a las señales de alerta que el cuerpo nos envía y decidimos destruirnos lentamente, en lugar de analizar los motivos del estrés-enfermedad y hacer algo al respecto. Esto me quedó muy claro cuando el esposo de una amiga sufrió un infarto. A pesar de las órdenes del médico, insistió en regresar a trabajar al día siguiente. ¿Pensó que la oficina se caería a pedazos si se ausentaba unos cuantos días? ¿O más bien le dio miedo tomarse unos días de descanso y enfrentar lo que le había sucedido, así como las consecuencias que pusieron en peligro su vida? Creo que ambas cosas. Casi todos somos iguales.

Es muy útil que pidas a alguna persona con quien vivas o trabajes que te dé su opinión, ya que somos los amos de la negación. Trabajé con un hombre que era excesivamente controlador y estresado, quien consideraba que sus continuas llamadas a su esposa para "saber qué estaba haciendo" eran una muestra de cariño y no de control. También creía que su perfeccionismo en el cuidado de la casa (que distraía a su esposa y desesperaba a los hijos) era porque "se preocupaba por la casa". Disculpaba sus frecuentes estallidos de ira y peroratas diciendo que "se preocupaba más por la casa y la familia" que su esposa. Cuando bebía en exceso y consumía drogas lo clasificaba como "un poco de diversión". Quizá éste sea un ejemplo extremo, pero el punto es que pocas vecemos compartimos la imagen que los demás tienen de nosotros.

A continuación encontrarás una lista de algunas señales de peligro que pueden ayudarte a reconocer tu nivel de estrés:

- Tener expectativas muy altas de los demás
- Ser demasiado exigente con uno mismo y los demás, y ser perfeccionista
- Frustrarse demasiado con uno mismo o los demás cuando no se logra la perfección
- Responder rápidamente con ira, intolerancia e impaciencia
- Fijar metas irreales y sentirse culpable después
- Juzgarse a uno mismo o a otros duramente
- Usar palabras como *tengo que, debería, necesito*
- Tener un comportamiento escapista e incrementar los hábitos negativos

En un famoso estudio realizado en 1967, en Estados Unidos, el Dr. Thomas H. Holmes y el Dr. Richard H. Rahe crearon una prueba para que "uno mismo" midiera su estrés. Asignaron un valor numérico a situaciones que causan tensión, desde la muerte del cónyuge (100) hasta una multa de tránsito (11). Sumando los valores de las experiencias sufridas en el último año, puedes calcular qué posibilidad tienes de sufrir una enfermedad o un accidente a causa del estrés.[6] Sin embargo, lo que los doctores Holmes y Rahe no consideraron, es que cada individuo responde de diferente manera a situaciones similares. Para algunos, la pérdida del empleo es una gran tragedia, mientras que otros la consideran una oportunidad para explorar un campo de acción que siempre desearon, pero les daba miedo dar el primer paso. En el caso de estas personas, aunque sienten miedo, el reto supera la preocupación.

En el trabajo, cierto nivel de estrés es esencial si queremos que nuestra carrera sea estimulante. Por ejemplo, es probable que un profesor muy inteligente se sienta más estresado al tener que repetir la misma lección una y otra vez durante toda la jornada de lo que se sentiría si tuviera un empleo más estimulante.

Un hecho interesante es que los ejecutivos de rango medio están más expuestos a sufrir infartos que los de alto nivel; lo que se debe, sin duda, a que éstos sienten que tienen el control cuando se trata de tomar decisiones, en tanto que el personal de menor rango tiene que acatar las decisiones del nivel superior aunque no esté de acuerdo. Y también está expuesto a recibir constantemente críticas de parte de sus superiores.

Entonces, la cantidad de estrés que padecemos está directamente relacionada con la falta de poder.

VÍCTIMA CONTRA VENCEDOR

No sentimos más estresados si no somos responsables de nuestra vida y, por tanto, creemos que somos víctimas de las acciones y comportamientos de los demás. Las personas dueñas de sí mismas saben qué cosas pueden salir mal en su entorno. Esa sensación de poder hace que se sientan capaces de actuar y cambiar lo que no está bien para reducir los efectos negativos de la experiencia. No obstante, los individuos que carecen de poder se quedan atorados en la culpa y creen que la responsabilidad no es de ellos, por eso no tienen la disposición para actuar e impedir las cosas o niegan los resultados de las situaciones.

Una persona que tiene mucha fuerza personal y descubre que su cónyuge la engaña, en vez de culpar al o la "idiota", es capaz de evaluar su propio comportamiento y descubrir en qué contribuyó para que sucediera. Tal vez estaba demasiado inmersa en su trabajo y empezó a ignorar a su pareja; quizá no siempre fue cariñosa y atenta; posiblemente se volvió muy seria y la diversión y la espontaneidad desaparecieron de la relación. Una persona así puede trabajar sus problemas, aceptar que la relación terminó también por su culpa, perdonarse a sí misma y a su pareja, y seguir adelante.

Sin duda, habrá estrés, pero su duración será menor que en el caso de una persona débil que, al no aceptar responsabilidad alguna, puede pasar años tramando una venganza, culpando a su pareja, detestando al nuevo amor de ésta y convirtiendo su vida, y la de todos, en un infierno. Se considera la víctima de lo ocurrido. Y como las víctimas son a quienes les *hacen* las cosas (pasivas), están menos dispuestas a actuar y salir adelante. Por consiguiente, cargan con el estrés por años, mucho tiempo después de que su ex siguió felizmente con su vida. Entonces, aferrarse a su dolor-herida es el elixir que les permite vivir. Y decirle a una persona como ésa que siga adelante, no es bien apreciado; por el contrario, puedes considerarte afortunado si no pierdes la dentadura.

En el caso de un individuo así, el camino a la sanación y a la fuerza personal es aprender a ser responsable de sus actos. Es un camino largo y difícil donde nos resbalamos con frecuencia si no estamos muy atentos; sin embargo, la recompensa es una vida mejor, más saludable y con menos estrés.

La palabra "estrés" viene del francés antiguo *destress*, que a su vez proviene del latín *distringere*, que significa "distanciarse". Cuando estamos estresados, literalmente seguimos diferentes direcciones. Decimos que estamos "estirando el dinero" o "ponemos nuestra paciencia a prueba". Estar estresado significa que nos sentimos incompletos, fragmentados, fracturados y hechos pedazos.

ELIMINACIÓN DEL ESTRÉS

Casi todos enfrentamos situaciones estresantes a lo largo del día, puede ser que al conducir rumbo a la oficina nos quedemos atorados una hora en el tráfico, o tengamos que cuidar a un hijo enfermo. En estos casos las opciones son pocas, pero *sí* podemos elegir cómo responder a esas situaciones. ¿Nuestro día se arruina porque alguien nos toca el claxon por haber avanzado despacio cuando se puso la luz verde, o mejor nos reímos y olvidamos el incidente? A continuación, encontrarás algunas sugerencias para librarte del estrés.

Delegar

Es muy fácil decirlo, pero difícil hacerlo. Delegar significa entregar, hasta cierto punto, el control y por eso a veces nos negamos a hacerlo. Preferimos estar estresados y trabajar hasta altas horas de la noche sólo para sentir que tenemos el control de los resultados. Esto nos lleva a la necesidad de ser perfeccionistas, que se mencionó antes. ¡Nadie mejor que uno mismo para obtener el resultado perfecto!

¿Por qué nos desagrada delegar? No nada más es miedo a obtener un resultado imperfecto, sino a perder el control. Nos hemos vuelto desconfiados de la vida y de la gente, por eso estamos seguros de que la única persona en quien podemos confiar somos nosotros mismos. Por supuesto, es absurdo y tiene que ver con un bajo ego que desea ser gratificado. Nos provocamos estrés diciéndonos que sólo nosotros tenemos la capacidad. Muy a menudo, la gente actúa así en el trabajo; sin embargo, como por arte de magia, la oficina sigue funcionando a la perfección cuando ellos ya no están.

Todas las horas extra y el resentimiento que las acompañan no sirven más que para estresarnos y hacerles la vida miserable a quienes nos rodean. Entonces, démonos cuenta de que cuando creemos que sólo nosotros podemos hacer las cosas bien, es porque el ego y el temor nos controlan. Confiar en los demás, tener fe en sus capacidades y darles poder, es un gran paso hacia el fortalecimiento individual y la reducción del estrés a largo plazo.

Muchas personas lo intentan, pero, como no confían verdaderamente en aquellos en quienes delegan, el nivel de estrés aumenta debido a la constante preocupación por el avance de las cosas. Soltar significa eso, confiar en que las cosas se harán bien, aun si la forma de hacerlas no es la que teníamos planeada.

Tomar un descanso

Casi todos evitamos tomar un descanso, ya sean vacaciones o 15 minutos de relajación, porque nos preocupa: a) que nadie note nuestra ausencia y se percaten de que no somos indispensables para el funcionamiento de la organización, o b) porque no podemos dejar el control.

Si llegamos a tomar un corto descanso, nos llenamos de cafeína o de nicotina, y ambas incrementan los niveles de estrés, o nos devoramos un sándwich mientras revisamos el correo electrónico, y ninguna de las dos actividades nos relajan. Nada de lo anterior nos calma, pues más bien son estimulantes que hacen trabajar más al corazón y aumentan la presión arterial. Mejor camina un poco, relájate y respira profundamente, o mira a través de la ventana unos minutos; haz cualquier cosa que aleje tu mente de la situación estresante.

Establecer prioridades

Muchos de nosotros incrementamos nuestros niveles de estrés porque evitamos hacer ciertas tareas que consideramos difíciles o poco agradables. Puede tratarse de una llamada complicada, un proyecto para el cual no nos sentimos competentes o una aburrida tarea de rutina. (En el Capítulo doce analizaremos con detenimiento por qué retrasamos las cosas.) Si hacemos un plan de acción detallado y establecemos prioridades, evitamos dejar de lado lo que no queremos hacer. La disminución del estrés y la satisfacción que sentimos cuando las tareas se concluyen, bien valen la pena el esfuerzo.

Es mejor expresar que reprimir; si tienes algún resentimiento con alguna persona, díselo. Las cosas se pondrán peor si dejas que te carcoma ese sentimiento. Casi toda la gente prefiere que le digas qué te molesta en lugar de que andes por la vida envuelto en una enorme nube de ira. Por ejemplo, si tienes un problema en la oficina y has expresado tu disgusto como debe ser sin éxito alguno, es probable que ya no disfrutes tu trabajo; entonces, en vez de vivir una situación estresante, considera la opción de cambiar de empleo.

Hacer deporte

Es importante que recuerdes que practicar un deporte es una forma de relajarte. No caigas en la trampa y no permitas que tu naturaleza competitiva surja y arruine una actividad que debe ser divertida. No te atormentes si pierdes. Usa ese tiempo para conocer gente y reírte.

Ser espontáneo

¿Cuándo fue la última vez que hiciste algo diferente? Y no me refiero a que te hayas puesto un par de zapatos que hacía mucho tiempo no usabas, sino algo inesperado que no planeaste. Organizar un día de campo en el parque, ir a un restaurante que sirve comida que no has probado, asistir a una clase de baile, pasear por el campo en un área que no conocías, todo esto puede resultar emocionante y te distrae de la situación estresante durante algunas horas.

Tener una casa acogedora

Convierte tu casa en un paraíso. Haz que tu casa o departamento sea el lugar al cual quieres regresar. Olvídate del desorden y ten música tranquila a mano. Comparte con tu pareja lo que sucedió en el día, pero ten cuidado de no caer en la trampa de competir por ver quién tuvo el peor día, pues esto puede llevarte al punto de que en lugar de "ganar", pierdas de vista las cosas buenas y obtengas el premio "siente pena por mí". Contar con alguien que escuche lo que te pasó en el día te ayuda a dejarlo ir, pero recuerda que este ejercicio es recíproco.

Aceptar la desigualdad

La creencia de que todos somos iguales genera una gran inconformidad y estrés porque quizá deseamos algo que otra persona tiene y nos culpamos a nosotros mismos, o a los demás, por no conseguirlo. En la naturaleza no hay igualdad, las águilas vuelan más alto que las palomas; las rosas son más bellas y huelen mejor que los dientes de león; en la jungla hay más vegetación que en el desierto. Sin embargo, insistimos en creer el mito de que todos somos iguales, cuando en él radica mucho de nuestro descontento. Algunos somos bajos, otros altos; algunos atractivos, otros feos; algunos gordos, otros delgados; algunos ricos, otros no tanto; algunos sabios, otros menos y así sucesivamente. Si aceptamos que no somos iguales y nos esforzamos por hacer lo mejor dentro de nuestras limitaciones, reducimos drásticamente el estrés causado por la envidia, el apego y la culpa.

Ámate incondicionalmente por lo que eres, y no esperes a ser rico, sabio, delgado, etcétera, para apreciarte.

Notas

1. Dr. Richard Rahe. Website www.drrahe.com
2. El informe "Reporte de enfermedades relacionadas con el trabajo en 2003/04: Resultados de la Encuesta de la Fuerza Laboral", puede consultarse en: www.hse.gob.uk/statistics/causdis/swi00304.pdf. Los padecimientos músculo-esqueléticos, seguidos por estrés, depresión o ansiedad, fueron, por mucho, las enfermedades relacionadas con el trabajo con su correspondiente *preponderancia* en 1.1 millones y 0.6 millones de personas nunca antes empleadas. El rango fue revertido por *casos de incidentes*, con un estimado de 0.2 millones de enfermedades músculo-esqueléticas y 0.3 millones por estrés, depresión o ansiedad. Además, aunque el estimado de *días laborales perdidos por año* fue de orden similar en las dos condiciones; el promedio de días perdidos por año por caso, fue más alto por estrés, depresión o ansiedad (28 días) que por enfermedades músculo-esqueléticas (19 días).

3. El informe "Reporte de enfermedades relacionadas con el trabajo en 2003/04: Resultados de la Encuesta de la Fuerza Laboral", puede consultarse en: www.hse.gob.uk/statistics/causdis/swi00304.pdf. Las ocupaciones con índices *preponderantes* superiores a la media (en el caso de gente que trabajó los últimos 12 meses) relacionadas con estrés, depresión o ansiedad, fueron: profesionales de la enseñanza y la investigación con un índice estimado de 2.3%. Gerentes corporativos (2.1%), profesionales de la salud y servicios sociales (1.8%) también presentaron índices estimados superiores a la media. Todas estas profesiones juntas conforman casi la mitad de los casos estimados de estrés, depresión o ansiedad asociados al trabajo (en personas que trabajaron los últimos 12 meses).
4. Laura Cousin Klein, extraído de: abclocal.go.com/kabc/health/070204_hs_noise_women_weight.html. Universidad del Estado de Pennsylvania: 3118 East Healt & Human Development Building.
5. *Your biography becomes your biology*, Dra. Caroline Myss, del Daily Message Archive myss.com/myss/dailymsarch.asp.
6. Prueba de estrés de Dr. Thomas H. Holmes y Dr. Richard H. Rahe www.aspexdesign.co.uk/psych_lifechanges.htm.

Capítulo tres

¿Cuál es la diferencia entre un hábito, una adicción y el Trastorno Obsesivo-Compulsivo (TOC)?

No es común padecer TOC, pues sólo el 3% de los adultos lo presentan, y en niños es aún menos frecuente (0.3-2%).[1] Así que si compruebas si cerraste el auto cuando menos una vez, o si limpias la mesa de la cocina cuatro veces al día, no significa que sufres TOC. Una vez aclarado el punto, analicemos con más detalle el trastorno obsesivo-compulsivo y cuál es la diferencia entre éste y un hábito.

¿QUÉ ES UNA OBSESIÓN?

Una obsesión es un pensamiento recurrente, una imagen o un impulso molesto, inapropiado y no deseado. Cuando la obsesión persiste sin causa aparente, produce ansiedad en la persona que la padece y dificulta su vida, y entonces es necesario buscar ayuda. No estamos hablando de la preocupación constante que te genera la idea de perder el trabajo o de que tu pareja tenga una aventura, pues ambas se consideran preocupaciones de la vida real, aunque algunas veces se llegue a la exageración. En el caso de las obsesiones, pareciera que el pensamiento, la imagen o el impulso se quedan "atorados" y desaparecen sólo si la persona realiza alguna acción o compulsión específicas. Pero la acción o compulsión únicamente son el *resultado*, no la causa. Con frecuencia, la persona está consciente de que el origen de la acción reside en su mente, pero saberlo no basta para eliminar el pensamiento, la imagen o el impulso.

Sin embargo, existe cierto límite entre un hábito y el TOC. Se considera normal hacer las cosas de cierta manera y eso no significa que se padezca TOC. Por ejemplo, seguimos cierta ruta de camino al trabajo porque nos gusta pasar por nuestro lugar favorito, no porque pensemos que si no lo hacemos nuestra pareja puede tener un terrible accidente. Pero si nos sentimos obligados a conducir por determinado camino porque de lo contrario podríamos sufrir un accidente automovilístico, entonces sí podríamos decir que se trata de un comportamiento obsesivo-compulsivo.

Compulsiones

Entonces, la compulsión es una reacción a la obsesión y está íntimamente ligada a ella. Si no se hace determinada acción, según la mente de quien la padece, se provocará un desastre o sucederá algo grave. Si el individuo se obliga a no realizar la compulsión, su nivel de estrés se eleva demasiado, el cual libera sólo si lleva a cabo la compulsión. La persona que presenta este desorden cree que si repite continuamente la compulsión, desaparecerá la obsesión, pero lo único que hace es establecer un patrón de comportamiento repetitivo. Algunos individuos saben que cumplir con la compulsión es ilógico, pero hacerlo les ayuda a reducir el miedo y la tensión, así que se sienten obligados a repetir la acción para recuperar la tranquilidad.

Algunos miedos son más comunes que otros, como el miedo a la **contaminación** por el polvo y los gérmenes. Les da pánico que cualquier superficie les produzca alguna infección, desde SIDA hasta terribles enfermedades. El individuo que lo padece se vuelve extremadamente ansioso si es forzado a tocar algo o alguien que considere un foco de infección, y la respuesta a esta situación es la continua necesidad de **lavarse**. Esto llega a tal extremo, que las manos y el cuerpo se les irritan e inflaman de tanto lavarse.

El comportamiento **sexual** puede producir un miedo enorme, confundiendo a quien lo experimenta. **Tocar** a otros puede convertirse en la compulsión elegida para aliviar la tensión producida por estos pensamientos o deseos. Un joven que conocí, sentía la necesidad de acariciar el brazo de la persona con quien hablaba para saciar sus obsesivos e incómodos impulsos sexuales.

Contar o sumar, ya sean los números de las placas de los automóviles, los hoyos que hay en el pavimento, o cualquier otro objeto que permita ser sumado o contado, es el resultado de obsesiones relacionadas con el temor a no actuar de manera aceptable según reglas religiosas o morales. Por lo general, es una acción imperceptible y los demás no se dan cuenta de lo que pasa. Como la duda es un síntoma importante del TOC, la persona siente la necesidad de contar una y otra vez para estar segura de que contó bien desde el principio.

Simetría, o acomodar la cosas de cierta manera, es otra situación que genera mucho temor, como en el caso de una joven que conocí y que le daba miedo que ocurriera algo malo si no deshacía su cama de cierta forma y acomodaba sus ositos de peluche en un orden determinado antes de irse a dormir. Un adulto necesita colocar sus objetos siguiendo cierto orden o patrón dentro de una habitación para mantener bajo control pensamientos y sentimientos ocultos.

Constantemente, pueden tener miedo de que ellos mismos o quienes los rodean vivan **situaciones horribles.** Otra obsesión muy inquietante es que se imaginan que se hacen daño a sí mismos, como en el caso de la automutilación (que se explica en el Capítulo Catorce) o a otra persona. **Repetir** palabras, frases o partes de un poema es una manera de disipar la obsesión.

El **perfeccionismo** puede llegar a los extremos cuando algunas tareas deben realizarse bajo estándares casi inalcanzables. La necesidad de ser perfecto causa tal cantidad de estrés, que a menudo se libera a través del **acaparamiento.** (Este tema se explica en el Capítulo Diez.) La necesidad de ser perfecto exige trabajar hasta muy noche, con la mera intención de asegurarnos de que todo está bien hecho.

¿Alguna vez te has preguntado si cerraste la puerta de la casa o del auto y tienes que regresar a revisar? Este es un hábito frecuente. Sin embargo, si después de haber revisado dos veces, sigues sin estar seguro de que lo hiciste o necesitas regresar después que la lógica te indica que la casa o el auto están seguros, entonces quizá te encuentras del lado del TOC. La necesidad de revisar puede también abarcar las tareas o proyectos que pueden retrasarse, no por falta de elaboración, sino debido a que la información se revisa una y otra vez para alcanzar la perfección. Aquí se conecta con el perfeccionismo mencionado en el párrafo anterior.

La necesidad de revisar puede ser parte de **impulsos agresivos,** o miedo a perder el control de los sentimientos agresivos y actuar impulsados por ellos. Cualquier otra revisión frecuente que es llevada a los extremos –sea la cantidad de dinero en nuestra cartera o si el horno está apagado– puede estar relacionada con la agresión suprimida.

Si conoces a alguien que necesita **rezar** continuamente, podría ser un indicador de que hay muchas cosas ocultas en su psique que necesitan **confesarse** o contarse a otra persona. Estos individuos desean hacer ciertas preguntas y su resistencia a ello (generalmente por miedo a la respuesta que obtendrán) los conduce a rezar constantemente. Es una forma de calmar la culpa o protegerse de pensamientos que le producen miedo. También puede manifestarse como la necesidad de hablar de los demás, confesar los pecados de otras personas y esconder los propios. Sin embargo, no hay reglas establecidas y estos ejemplos simplemente son manifestaciones comunes de las compulsiones.

¿CÓMO DIFERENCIO UN HÁBITO DE UN TOC?

La diferencia más notable entre el Trastorno obsesivo-compulsivo y un hábito, es que las acciones no le provocan placer a la persona, sólo aligeran la tensión y el miedo producto de la incomodidad de una obsesión. Beber unas cuantas cervezas en el bar cada viernes, puede ser un hábito o una adicción (dependiendo de la cantidad consumida), pero sin duda es algo que disfrutas. Demorarte o meter el dedo a la nariz son acciones que no se disfrutan mucho, pero el acto produce cierta cantidad de placer, aunque sólo sea para demostrar a tus compañeros de trabajo lo poco que te importa el proyecto asignado, o para que puedas respirar mejor. En el caso del TOC, el único placer es aliviar la obsesión.

Los síntomas del TOC impactan de manera drástica en la vida de quienes lo padecen, y pueden afectar su desempeño en el trabajo, sus relaciones y generar mucha angustia. Casi todas las personas que sufren TOC saben que su mente crea el problema (lo que no ocurre con individuos afectados por otros padecimientos sicóticos, como la esquizofrenia). Esto es muy inquietante. En algunos casos, los síntomas son leves y aparecen y desaparecen, mientras que en otros son mucho más frecuentes.

En **resumen**, el **TOC** es un **pensamiento, idea o impulso obsesivo;** una reacción o **compulsión** de hacer algo en respuesta a dicho pensamiento, idea, impulso; y miedo a que al realizarlo la compulsión se disipe. Un **hábito** simplemente es una tendencia o práctica frecuente difícil de dejar.

CUÁNDO PEDIR AYUDA PARA TRATAR EL TOC

Las investigaciones sugieren que, en cuanto a la química del cerebro se refiere, los bajos niveles de serotonina pueden causar TOC, y los circuitos del cerebro se reestablecen después de ingerir medicamentos con serotonina o de recibir psicoterapia cognitiva del comportamiento. También se mencionan problemas de comunicación entre la parte frontal del cerebro y los ganglios basales más profundos; sin embargo, no se ha comprobado que causen TOC.

Lo preocupante es que el TOC a menudo no es diagnosticado. Según la *Obsessive Compulsive Foundation* (Fundación Obsesivo-Compulsivo), los estudios demuestran que desde que el TOC se manifiesta hasta que se obtiene el tratamiento adecuado, transcurren diecisiete años en promedio.[2]

El TOC no siempre se diagnostica pues quienes lo padecen lo mantienen en secreto, porque no es bien comprendido y porque no siempre está disponible el tratamiento adecuado. Es una pena, ya que con el tratamiento correcto los pacientes no sufren y se reduce el riesgo de que enfrenten otros problemas (como dar por terminadas relaciones personales o padecer depresión) que pueden convertirse en TOC si no se tratan. En muchos casos, el tratamiento alivia los síntomas a largo plazo, mientras que en otros los cura completamente.

En la prueba de los doctores Holmes y Rahe (mencionada en el Capítulo Dos) los hábitos personales tienen una puntuación de 24, sólo un punto abajo de un cambio importante en las condiciones de vida, y uno arriba de tener problemas con el jefe. Eliminar un hábito no es una tarea fácil, pero entender por qué lo desarrollamos es de gran utilidad para deshacernos de la causa subyacente, que simplemente determina el comportamiento resultante.

Es posible lograr la mejoría, y en algunos casos hasta experimentar la remisión total.[3] Por lo tanto, es importante que busques ayuda si crees que tú o algún conocido padece TOC.

¿CÓMO DIFERENCIO UN HÁBITO DE UNA ADICCIÓN?

La palabra "hábito" viene del francés y significa "condición, conducta, comportamiento o actitud", que a su vez derivó del latín *habere* (de la raíz indoeuropea *ghab*) que significa "tener o poseer". Si combinamos los dos significados, un hábito es una condición, conducta, comportamiento o actitud que tenemos. Esta palabra también se utiliza en el contexto religioso para indicar que el hábito exterior usado por los monjes y monjas es muestra de su convicción espiritual interna. Ellos "tienen o poseen" sus creencias.

Así como el hábito de una monja es muestra de sus convicciones internas, nuestros hábitos personales son un indicativo de lo que sucede en nuestro interior o inconsciente. Los hábitos, como repetición de nuestro comportamiento, resaltan nuestras emociones. Tenemos cientos de hábitos diferentes, desde ruborizarnos hasta presumir, y es posible que nunca nos hayamos preguntado por qué nos comportamos de esa manera. Entonces, si reconocemos nuestros hábitos, podemos llegar a comprendernos mejor, o como dijo Aristóteles: *"Somos lo que hacemos repetidamente"* (Ética de Nicómaco, siglo 325 a.C.).

A menudo, llevamos a cabo los hábitos sin pensarlo. No ejercen sobre nosotros el mismo poder que las adicciones y, en la mayoría de los casos, si nos esforzamos un poco podemos limitarlos, e incluso eliminarlos. No obstante, a un adicto le cuesta mucho más trabajo dejar su vicio, a pesar de que se ven afectadas su salud, sus finanzas o sus relaciones. Por ejemplo, un adicto a la heroína que desea dejarla requiere más disciplina, valor y fuerza de voluntad, que si quisiera dejar morderse las uñas, aunque éste es un hábito difícil de dejar.

La palabra "adicto" viene del latín *addictus*, que significa "dedicado a" o "apegado a". Su significado actual se refiere a un individuo que se dedica a algo y se recompensa con una práctica en particular. Cuando nos entregamos a dicha práctica, nuestra recompensa es la sensación de bienestar; por lo general, la práctica está relacionada con una sustancia, como la nicotina o el opio. Una adicción es una necesidad física y emocional, mientras que un hábito es el reflejo de una necesidad emocional.

CÓMO SE CREAN LOS HÁBITOS

La mayoría de las personas no eliminamos el estrés que experimentamos, por eso los hábitos se convierten en un medio para expresar las neurosis, que son las que producen el estrés.

No importa cuál sea el hábito, está relacionado con aquello que nos tensiona, y puede ser ira, miedo, resentimiento, envidia, ansiedad o cualquier otra emoción. Actuamos conscientemente (o la mayoría de las veces inconscientemente) y nos percatamos de que lo que hacemos alivia la emoción, y entonces tendemos a repetir de manera natural dicha acción la siguiente vez que sentimos la misma presión. Al poco tiempo, el comportamiento se vuelve una respuesta establecida a un estado particular y sigue el ciclo que se muestra a continuación.

El siguiente ejemplo es la necesidad de limpiar una superficie más de una vez. Digamos que se trata de un ama de casa que siente ira y rencor hacia su esposo porque la maltrata y menosprecia. Esto la llena de resentimiento e ira, pero le da miedo expresarlo. No desea enfrentar el hecho de que su relación es infeliz y que existen graves problemas en casa, prefiere aparentar que todo está bien. Literalmente, en la superficie todo necesita verse bien, por eso limpia y vuelve a limpiar, para que las cosas se vean relucientes, excepto ella, que está muy lejos de relucir. Su ciclo podría manifestarse así:

- **Emociones:** ira y ansiedad reprimidos.
- **Culpa:** por sentirse enojada.
- **Autoestima:** contener la ira y permitir que las palabras de su esposo la hagan sentir que no vale nada, consume su autoestima-fuerza de voluntad.
- **Tristeza:** se siente triste y lamenta la pérdida de su confianza.
- **Verdad y negación:** no es honesta consigo misma respecto a los problemas que hay en su relación.
- **Resultado:** se siente mejor realizando el hábito porque cuando menos hace algo bien y siente que es un logro, además las cosas lucen bien por fuera.

Analicemos cómo un fumador experimenta inconscientemente la necesidad emocional de encender un cigarrillo:

- **Emociones:** necesidad de un estímulo; miedo y ansiedad.
- **Culpa:** por fumar demasiado.
- **Autoestima:** saber que depende de una sustancia que no puede dejar consume su autoestima; siente vergüenza porque carece de autocontrol.

- **Tristeza:** tristeza por estar enganchado con un hábito.
- **Verdad y negación:** negación de la profundidad del problema: "sólo fumo veinte al día", cuando en realidad son treinta.
- **Resultado:** fumar un cigarrillo para reducir la tensión.

Aquí está la contraparte de este ejercicio:

Recuperación:

- **Comprensión.**
- **Autoanálisis.**
- **Verdadera naturaleza de la adicción.**
- **Amor propio.**
- **Incremento de la autoestima, sensación de fortalecimiento.**
- **Aceptación de los sentimientos en lugar de evasión.**
- **Buena salud y vitalidad.**

La próxima vez que te descubras comiendo muy rápido, consintiéndote con una terapia intensiva de compras, o demorándote porque todavía hay tiempo, revisa la lista anterior empezando por **emociones** hasta llegar a la lista de **recuperación** y analiza tu hábito a profundidad, de esta manera aprenderás mucho acerca de ti mismo.

POR QUÉ ES ÚTIL CONOCERNOS MEJOR

Existe un refrán que dice: "La primera página del libro de la vida es un espejo". Una vez que nos comprendemos a nosotros mismos podemos empezar a entender la naturaleza de las cosas, porque somos el microcosmos y el universo el macrocosmos o, como señala la Biblia: "Como es arriba es abajo".

Si examinamos nuestro cuerpo físico y sus enfermedades podemos entender nuestro cuerpo emocional y sus problemas. La razón por la que los aspectos emocionales se vuelven inconscientes o se ocultan, es porque reflejan aspectos de nosotros que consideramos inaceptables. Por eso preferimos evitarlos en lugar de enfrentarlos.

Viendo en retrospectiva el sufrimiento que este proceso ha producido en mí y en otros, me doy cuenta de que no tiene que ser así; es verdad que estar conscientes de sí mismos no nos soluciona la vida, pero comprendernos nos ayuda a aprender la lección y seguir adelante, en vez de repetir la misma situación una y otra vez.

El aburrimiento es un campo fértil para la observación. Cuando trabajé en el sector corporativo, tuve que asistir a muchas reuniones *aburridas*. En un intento por hacer mi vida más interesante, empecé a observar a mis colegas, que se sentaban alrededor de la larga mesa de juntas. Identifiqué sus hábitos y descubrí lo que revelaban, así logré entenderlos mejor y trabajar con ellos me resultó más sencillo.

Notas

1. Se estima que el 0.3-2% de la población infantil padece TOC y 3% de los adultos. Fuente: Tourette Syndrome "Plus", por la Dra. Leslie Packer. www.tourettesyndrome.net_overview2.htm.
2. Estudios han encontrado que toma un promedio de 17 años desde el momento en que el TOC inicia hasta que la persona obtiene el tratamiento apropiado. Tomado de: OCD Foundation inc. PO Box 70, Milford, Connecticut 06-46600-70 Estados Unidos. http://www.ocdfoundation. org. Centro de información del OCD, 2711 Allen Boulevard, Middleton, Wisconsin 53562 Estados Unidos.
3. En 1999, Gail Stektte y sus colegas publicaron el primer estudio hecho a largo plazo sobre el TOC. Investigaron a 100 pacientes diagnosticados con TOC durante un periodo de 5 años. Aproximadamente el 20% de los pacientes tuvo una remisión total del TOC, y el 50% tuvo una remisión parcial durante el seguimiento. Soke & Soke (1999) realizó un seguimiento de 40 años a pacientes con TOC. Ellos reportaron que más del 80% de los pacientes experimentó mejoría, incluyendo una recuperación parcial de los síntomas subclínicos (28%), o una recuperacion completa (20%). www.tourettesyndrome. net_overview3.htm.

Capítulo cuatro

Sana tus hábitos

¿PUEDES CAMBIAR TUS HÁBITOS?

Nuestros pensamientos y acciones crean "senderos" en el cerebro, como un nuevo camino en el campo. Todos los días, cuando recorremos el camino, pisoteamos los arbustos, aplastamos el pasto y hacemos a un lado las ramas. Con el tiempo, el sendero se ensancha y se marca. De igual forma, cada vez que respondemos a una situación de la misma manera que lo hicimos en ocasiones anteriores, creamos un "sendero mental" más marcado. Conforme repetimos el pensamiento y la respuesta, el camino se "pavimenta" y, con el tiempo, se vuelve una vía rápida por la que viajan nuestras respuestas. Esto quiere decir que cuando tenemos que responder a cierto tipo de pensamiento o situación, nuestro cerebro sigue el camino que más ha recorrido. Con los hábitos sucede lo mismo, por eso es tan difícil eliminarlos. Debemos acostumbrarnos a salir de la vía rápida y recorrer un camino nuevo, lo que implica un cambio y un trabajo arduo. El problema es que cuando surge una crisis, volvemos corriendo al sendero familiar de las reacciones.

No nos cuesta tanto trabajo dejar de fumar cuando estamos descansando en el campo, pero en cuanto regresamos a la oficina, donde las cosas no marchan bien, la necesidad de fumar se vuelve incontrolable. El día de Año Nuevo muchos decidimos abandonar ciertos malos hábitos, pero pocos tenemos la fortaleza de cumplirlos por más tiempo de lo que nos dura la resaca de champaña.

Se dice que si evitamos el comportamiento durante 21 días (en el caso de adicciones no físicas), entonces vamos por buen camino y lograremos conservar el nuevo comportamiento. Después de 120 días, ya hemos transformado el nuevo sendero en una autopista pavimentada y es menos probable que regresemos al camino anterior durante los periodos de estrés.

POR QUÉ ES DIFÍCIL DEJAR UN HÁBITO

Cuando un cambio nos obliga a modificar nuestro estilo de vida, por ejemplo, si nos divorciamos o nos despiden del trabajo, no podemos intervenir en el proceso. El problema con los comportamientos habituales es que tenemos que provocar el cambio voluntariamente y a los humanos no nos agradan mucho los cambios, pues por lo general invertimos una gran cantidad de energía para asegurarnos de que no tengamos que enfrentar cambio alguno. Entonces, cuando necesitamos cambiar un hábito, requerimos de mucha determinación y valor para lograrlo.

Si alcanzamos el éxito, nuestra autoestima se eleva, y eso nos da fuerza para hacer más cambios. Sin embargo, a menudo nos fijamos metas inalcanzables, como: "Dejaré de comer chocolate, no tomaré una gota de alcohol y seré buena con mi cuñada". Al día siguiente, le damos una respuesta maliciosa a nuestra cuñada por sus comentarios sobre nuestro protuberante abdomen, mientras comemos una rebanada de pastel de chocolate con almendras, lo que hace que nos sintamos miserables por el poco autocontrol que tenemos y terminamos ahogando la pena con muchas copas de vino tinto.

Esto destruye nuestra autoestima e impide que seamos disciplinados la siguiente vez que decidimos poner fin a un hábito. Entonces, la manera de solucionar el problema es dando pequeños pasos que *podamos* cumplir. Por ejemplo, en el caso anterior, si nos proponemos no comer chocolate por un día, la meta será más accesible. Al final del día nos sentiremos bien con nosotros mismos y decidiremos continuar con el proceso un día más, y así sucesivamente. Después de 21 días, el antojo habrá disminuido y podremos considerar objetivos semanales y no diarios. Una vez que logramos el éxito y reforzamos nuestra estima de manera positiva, estamos listos para solucionar el asunto del alcohol con más confianza.

Es como arrojar una piedra a un estanque y observar cómo las ondas aumentan de tamaño conforme se extienden hacia afuera. Un acontecimiento pequeño lleva a otros más grandes. En la escuela nos enseñaron que la naturaleza detesta el vacío, y a nosotros nos sucede lo mismo. Cuando nos deshacemos de un comportamiento negativo, creamos un vacío que debe llenarse con comportamientos o experiencias positivas. Una vez que superamos el hábito de mordernos las uñas, nuestra autoestima se fortalece y el espacio que deja esa costumbre se llenará con otra cosa. A cada acción corresponde una reacción, y acabar con un hábito produce una especie de onda expansiva en nuestro interior y en el mundo que nos rodea.

Los hábitos existen porque nos hacen sentir bien. No importa que tan dañinos sean, reducen la tensión, nos alivian y nos liberan. Es comprensible que no deseemos dejar lo que nos satisface. Las personas que se autoflagelan saben que su acción les dejará una cicatriz, pero la liberación emocional supera las implicaciones negativas.

¿Para qué cambiar de comportamiento? ¿Por qué no seguimos roncando, llegando tarde, comiendo mucho, rechinando los dientes, bebiendo grandes cantidades de café mientras nos rascamos las cejas y nos mordemos las uñas? Lo hemos hecho durante mucho tiempo y ¡seguimos haciéndolo! ¿Para qué esforzarnos? Conociste un hombre con peores hábitos y ¡vivió hasta los 97 años! Entonces, ¿para qué cambiar?

Hay cambios forzosos, como un accidente o que nos corran del trabajo, pero ¿por qué cambiar voluntariamente lo que no es obligatorio? Porque cambio significa crecimiento.

EL CAMBIO NOS AYUDA A CRECER

Si examinamos el fósil de una cucaracha, descubriremos que han cambiado muy poco en millones de años. ¿Por qué? Simplemente porque las cucarachas no tienen depredadores y su vida ha sido relativamente fácil. No han tenido que adaptarse o morir, por eso no se han desarrollado. Entre más cambios enfrentamos en la vida, más cosas aprendemos. Eso nos hace crecer mental y emocionalmente, lo que no sucede cuando todo marcha bien y sin problemas. ¿Quién querría cambiar? No obstante, el sufrimiento estimula el crecimiento personal. La disposición para aceptar el cambio, a través del deseo de ponerle fin a lo que nos tiene atados, es un paso valiente hacia el crecimiento.

En la actualidad, nos enfrentamos al cambio más que ninguna otra sociedad del pasado. Esto se refleja en la ropa que compramos y desechamos meses después, cuando ya no está de moda; los aparatos eléctricos que rara vez duran más que unos cuantos años, y las relaciones que iniciamos y terminamos más rápido que lo que tardamos en recibir nuestra hamburguesa con papas fritas para llevar. En el pasado, un traje era para toda la vida, los equipos electrónicos estaban bien hechos y se reparaban una y otra vez, y las relaciones eran para siempre. Pero ya no. El cambio es parte de nuestra sociedad pero nos resistimos a él y, como nos impacta cada vez con mayor dureza, nos estresamos más y lo eliminamos con acciones perjudiciales.

Cuando aceptamos el cambio –cuando lo abrazamos– trabajamos con el proceso, no en contra de él. Un cambio sencillo, como sustituir el café por té de hierbas, puede tener un efecto profundo en nuestra vida. Los hábitos nos dan la oportunidad de cambiar algo, no importa qué tan insignificante sea, y eso crea la fuerza para que ocurran muchos cambios positivos.

Tomemos el ejemplo de una mujer con la que trabajé hace algunos años. Catherine se consideraba la clásica víctima. Su esposo la abandonó por una mujer mayor, le daba poco apoyo económico y ella era la que prácticamente mantenía a sus dos hijos. Por lo tanto, trabajaba muchas horas y, como sentía que el mundo estaba en su contra, sus clientes la trataban mal. Se sentía agredida por su esposo y su nueva mujer, sus clientes, sus hijos, sus amigos, el sistema, su vida.... la lista no tenía fin.

Un día, decidió que tenía que hacer algo para romper este esquema y empezó a practicar Reiki, un sistema de sanación que equilibra el cuerpo. De pronto, descubrió que sí tenía voz y voto en este mundo, que podía cambiar la forma de sentir de la gente con tan sólo colocar sus manos en ellos. Su confianza aumentó y empezó a leer y aprender más. Entonces, ya no sentía que estaba sacrificando su felicidad por el bien de sus hijos, y empezó a ver los aspectos positivos de su vida.

Tomó la decisión de vender una propiedad y usar el dinero para reducir su pesado horario de trabajo. Los primeros clientes que despidió fueron aquellos demasiado exigentes. Cambió a los niños a una buena escuela que estaba más cerca, costaba menos y cuyo trayecto era menor que el de otras escuelas con mayor prestigio pero más lejanas. Siguió haciendo cambios hasta que conoció un hombre maravilloso. Unos cuantos meses después se casaron, y actualmente tiene una relación maravillosa, vive en el campo en una casa impresionante donde sus hijos tienen sus propios caballos. Éste es un final de cuento de hadas para una historia que pudo no haberlo sido, si no hubiera dado el primer paso para eliminar la sensación de que no podía cambiar su vida.

En un taller de arte que impartí, una de las participantes dibujó sus puños cerrados denotando ira. Estaba ansiosa por encontrar un compañero, pero los puños cerrados eran una muestra de que no estaba lista ni dispuesta a aceptar a una persona en su vida. La ira la había envuelto. Cuando se dio cuenta de lo que estaba haciendo inconscientemente, hizo los cambios emocionales necesarios para liberar su ira y abrirse a las cosas nuevas. Ya encontró una pareja cariñosa y maravillosa.

El cambio es así. Un pequeño esfuerzo puede tener un efecto profundo y duradero. Cuando identificamos qué cosas nos afectan, podemos empezar el proceso de crear una nueva vida.

QUÉ COSAS TE AFECTAN Y CÓMO IDENTIFICARLAS

Las cosas que nos afectan son las que provocan nuestros hábitos. Sentimos ansiedad, y mordemos la punta de la pluma; estamos estresados, y bebemos otra taza de café; reprimimos nuestro enojo, y nos calmamos mordiéndonos las uñas. Si identificamos qué cosas desencadenan nuestros hábitos, podemos reconocer las señales de alerta y tomar acciones preventivas y alternas. Lo que tenemos que hacer entonces, es buscar otros medios para liberar las emociones que disparan el hábito, y así encontrar alivio en acciones que no nos hacen daño. A continuación, te sugerimos qué hacer. Escribe las respuestas en una hoja de papel:

1. **Elige un hábito o patrón de conducta y escríbelo, junto con la meta que te gustaría alcanzar. Establece un límite de tiempo para cumplirla.** Por ejemplo, Samantha siempre llega tarde. Su meta es llegar a tiempo a las citas de la siguiente semana.

2. **Recuerda las tres últimas veces que presentaste este comportamiento.** Retomando el ejemplo de

Samantha, ella llegaba tarde a las presentaciones con los clientes, llegaba con veinte minutos de retraso para comer con su amiga, y media hora después a su cita con el dentista.

3. **Emocionalmente, ¿como te sentías antes de poner en práctica el hábito?** Samantha se ponía nerviosa cuando tenía que ver a un cliente nuevo, no tenía ganas de ver a su amiga (el día estaba hermoso y quería ir a la playa) y no le importaba llegar tarde con el dentista, ya que a menudo la hacía esperar.
4. **¿Cómo te sentías físicamente?** Samantha dijo que estaba cansada porque se había desvelado haciendo la presentación.
5. **¿Cómo te sentías después de haber realizado el hábito?** Samantha se enojaba con ella por llegar tarde y la culpa hacía que se justificara.
6. **¿Existe un patrón?** Samantha descubrió que su patrón era hacer cosas que no deseaba. En vez de analizar con honestidad qué podía hacer para eliminar los "tengo que" de su vida y sustituirlos con cosas que sí quería hacer, Samantha se resistía al proceso llegando tarde. Su demora era una reacción pasiva a situaciones que le producían resentimiento por no poder ejercer su libre albedrío.
7. **¿Cómo reacciona la gente?** En el caso de Samantha, con ira o fastidio. Lo cual reflejaba su propio enojo por hacer cosas que no quería.
8. **¿Cual es la consecuencia de tu hábito?** Samantha se sentía culpable por llegar tarde, pero le daba

cierta satisfacción saber que no la controlaba el resto de la gente. Entonces, eso le daba fuerza, por eso repetía el comportamiento, porque le daba el control cuando carecía de fuerza para fijar sus propios límites. De haber tenido la fuerza:

- Habría llamado a su amiga para cambiar la fecha de la comida o invitarla a la playa.
- Habría dicho al dentista, en su visita anterior, que casi siempre esperaba una hora para que la atendiera y le habría pedido que la llamara si se retrasaba para no hacerla perder el tiempo.
- Habría revisado su presentación para ver por qué temía que fuera rechazada.

9. **¿Qué desencadena tu comportamiento?** En el caso de Samantha, era hacer algo que no deseaba. Ahora, revisa las citas de la semana, ve cuáles le crean conflicto y trabaja en ello, así no tiene que llegar tarde.

Analicemos otro comportamiento y su origen, usando estas nueve preguntas

El hábito: Gail se siente orgullosa porque su casa siempre está limpia, pero para ello llega al punto en que algunas veces talla las superficies hasta diez veces, aunque sabe que están limpias. Dice: "Simplemente quiero estar segura de que no haya nada sucio".

1. **Elige un hábito o patrón de conducta y escríbelo, junto con la meta que te gustaría alcanzar. Establece un límite de tiempo para cumplirla.** "No invertir más tiempo del necesario limpiando,

una vez por superficie. Para empezar, quisiera intentarlo durante una semana".

2. **Recuerda las tres últimas veces que presentaste este comportamiento.** "En retrospectiva, las peores ocasiones son cuando Harry, mi esposo, y yo peleamos".
3. **Emocionalmente, ¿cómo te sentías antes de poner en práctica el hábito?** "Molesta por las cosas que me decía. Sentía que no valía nada, y me refugiaba en la limpieza. Por lo menos, sí podía hacelo".
4. **¿Cómo te sientes físicamente?** "No muy bien, agotada".
5. **¿Cómo te sientes después de haber realizado el hábito?** "Contenta porque todo estaba muy limpio. Al menos hacía algo, aunque sabía que me extralimitaba y perdía el tiempo".
6. **¿Existe un patrón?** "La verdad, no lo había pensado, pero creo que empeora cuando estoy molesta por algo, generalmente relacionado con mi matrimonio. Cuando las cosas van bien, limpio, pero no una y otra vez".
7. **¿Cómo reacciona la gente?** "Harry ni lo nota, aunque cuando está cerca, dice que estoy loca".
8. **¿Cual es la consecuencia de tu hábito?** "Satisfacción. No puedo explicarlo de otra manera. Me siento bien porque las cosas se ven relucientes".
9. **¿Qué desencadena tu comportamiento?** "Pensándolo bien, siento que no valgo nada, pero también

> quiero olvidar las cosas, hacer que todo parezca que está bien, aunque no sea así. Creo que es una manera de no aceptar lo desdichada que soy en mi matrimonio. Supongo que debo analizar el 'polvo' emocional que hay en mi vida y que pretendo eliminar a través de la limpieza".

Gracias a este proceso, Gail pudo empezar a detectar qué desencadenaba sus ataques de limpieza, y trabajar con sus problemas maritales y el efecto que tenían en la familia. Se dio cuenta que no podía ocultar el polvo emocional bajo el tapete.

Cuando descubrimos qué es lo que realmente desencadena nuestro comportamiento, debemos buscar la manera de solucionar el problema para poder dejar de hacer lo que hacemos.

PONLE FIN A TUS HÁBITOS, MÉTODOS PARA DETENERLOS

La gente tiene diferentes métodos para eliminar sus hábitos, y algunos funcionan mejor con ciertos comportamientos y personalidades. Recuerdo haber hablado con una mujer que me contó que tenía el hábito de morderse las uñas continuamente, hasta que se hizo enfermera y tuvo que cambiar vendas, colocar urinales, y demás. Según me dijo, de pronto, la idea de morderse las uñas se volvió menos atractiva porque recordaba lo que habían tocado sus manos. Quizá, así como la enfermera, encuentres la solución por accidente; sin embargo, casi todos debemos esforzarnos mucho si queremos eliminar nuestro comportamiento negativo.

Sustitución

Como el nombre lo indica, sustituimos nuestro comportamiento con una acción menos perjudicial. Por ejemplo, no puedes dejar de comer chocolate y ya sabes que caes en la tentación porque antes de que aparezca el detonante, decides sustituir el chocolate con fruta fresca y te aseguras de tenerla a mano, pero todo se viene a bajo porque cuando vas a la tienda por la fruta, ésta se encuentra al lado de los chocolates. Lo mejor es que intentes una sustitución que no esté relacionada con la comida, como beber un vaso grande de agua cada vez que surja el antojo y ahorrar el dinero que ibas a gastar en chocolates para después comprarte algo que realmente deseas.

Otra sugerencia para la sustitución es que anotes cada vez que te resistes al impulso, así podrás confirmar tu éxito. Cada victoria, no importa que sea pequeña, refuerza la que está por venir. El método de substitución funciona muy bien en el caso de casi todos los antojos físicos. ¡Obviamente sustituir vodka con ginebra no es bueno!

Incrementa tu hábito

PRECAUCIÓN: ***Este método no debe utilizarse en el caso de consumo de alcohol y drogas, tampoco es recomendado para personas que padecen diabetes, que se autoflagelan, que roban, ni para los delincuentes sexuales, ni en el caso de ninguna acción ni sustancia potencialmente peligrosa.***

Cuando nos repetimos constantemente que debemos dejar de hacer algo o que lo hagamos con menos frecuencia, provocamos un deseo mayor de realizar ese comportamiento. ¿Te acuerdas cuando tu mamá te decía que no tocaras algo y entonces tú te morías de ganas por tocarlo? Cuando no estamos a dieta, rara vez pensamos en la comida si no tenemos hambre. Sin embargo, hacer dieta puede convertirse en una obsesión, pues nada más estamos esperando que llegue la hora de comernos el bocadillo recomendado, se nos antoja toda clase de alimentos prohibidos y calculamos cuántas calorías de más tiene una copa de vino tinto en comparación con el pastel de arroz prescrito.

Darte permiso de extralimitarte en el hábito a veces es una manera de limitar la obsesión. Si consumes dos barras de chocolate al día, compra diez y cométalas todas; así, en el quinto chocolate, te sentirás harto y no querrás volver a comerlo en tu vida. Y eso es precisamente lo que quieres. Si necesitas limpiar la mesa de la cocina cuando menos cinco veces, hazlo diez veces más para que entonces la situación haga que te desagrade la tarea y entiendas que tu comportamiento es absurdo. Lo mismo aplica si revisas más de una vez que el auto o la casa están bien cerrados. Cuando salgas, revísalos cuando menos cinco veces cada uno, así llegarás a confiar en que con una vez es suficiente.

Lo que sucede en este caso, es que cuando consentimos nuestro comportamiento, ignoramos la autoritaria voz interna que nos critica. Y no podemos reprendernos por algo que nos dimos permiso de hacer, así que, por lo general, disminuye la necesidad.

Cuando te excedas en tus consentimientos, pregúntate qué te pasa emocionalmente. ¿Sientes alivio, luego enojo y después crees que eres un tonto? Es posible que tengas emociones diferentes. Escríbelas y fíjate qué pasa. Al ego no le gusta que lo expongan, y lo que estás haciendo es enfatizar su lucha por controlar tu interior. Confrontarte a ti mismo de esta manera es una manera valiente y maravillosa de conocer a la persona que eres en realidad, y de eliminar los viejos patrones de conducta.

Interrupción

Por lo general, actuamos de manera inconsciente. Mordemos distraídamente la punta de la pluma, nos damos golpecitos en la pierna o nos mordemos el cabello sin darnos cuenta de lo que estamos haciendo. Una vez que prestamos atención a nuestras acciones y descubrimos qué desencadena tal comportamiento, lo mejor es que optemos por hacer otra cosa antes de caer en el hábito en lugar de reprendernos.

Por ejemplo, si crees que bebes muchas copas de vino cuando sales de fiesta, establece la regla de tomar un vaso grande de agua entre copa y copa. Es saludable y te sentirás mejor al día siguiente. Si pierdes los estribos con facilidad, cuando quieras bajarte del auto y golpear al individuo que está frente a ti porque se estacionó en tu lugar, recuerda la disciplina que planeaste previamente, como hacer diez respiraciones profundas y preguntarte si esa acción merece que te enojes. Si tiendes a comer muy rápido, llega a un acuerdo contigo para masticar cada bocado cuando menos quince veces y parar de comer durante dos minutos, repitiendo este ejercicio tres veces.

Estas interrupciones no sólo hacen que estemos alerta a ciertos comportamientos, también nos ayudan a aliviar nuestra necesidad de actuar de determinada manera. Por ejemplo, cuando te hayas terminado el agua, ya no tendrás ganas de tomar café. Si cada vez que juegas con tus dedos te preguntas por qué estás impaciente y juegas por tres minutos con los dedos de tu otra mano antes de pasar a la mano original, podrás eliminar tu necesidad.

Afirmaciones y metas

Se han realizado muchos estudios que revelan que es más eficaz escribir las metas que deseamos alcanzar y crear un programa paso a paso para lograrlas, que nada más pensarlas. Fijar metas para mejorar nuestro comportamiento es una forma maravillosa de afirmar nuestro progreso e identificar con honestidad nuestras fallas. La clave está en no enfocarnos en los días en que todo sale mal, sino recordar los días que cumplimos con nuestro plan. Las afirmaciones son una buena manera de mejorar el proceso, así que repite muchas veces la frase que elegiste para que se haga realidad.

Tomemos como ejemplo el hábito de mordernos las uñas. Una vez que sabes que la ira y el resentimiento son la causa, afirma lo siguiente: "Soy capaz de liberar mi ira", o "Dejo ir las emociones negativas", o "Puedo compartir con los demás cómo me siento". Pero recuerda que las afirmaciones deben ser positivas y asegúrate de decirlas en tiempo presente, como si estuvieras actuando como deseas.

PARTE DOS

ANÁLISIS DE HÁBITOS REALES

Capítulo cinco

El aliento de la vida

HÁBITOS QUE AFECTAN LOS PULMONES Y EL SISTEMA RESPIRATORIO

¿Alguna vez has pensado que respirar es la única función del cuerpo, además de abrir y cerrar los ojos, que podemos realizar consciente o inconscientemente? No dejamos de respirar cuando estamos relajados o dormidos, pero sí podemos contener la respiración, si queremos sumergirnos en el agua. Aunque nunca lograremos acelerar o detener el funcionamiento del corazón o el hígado de manera consciente. El funcionamiento único de los pulmones, que es consciente e inconsciente, permite que la respiración sea una parte integral de muchas prácticas espirituales, como medio para conocer el inconsciente.

Caroline Shola Arewa, autora del libro *Opening to Spirit*, dice: *La raíz de las palabras* inspirar, expirar, espíritu *y* respiración *es la palabra latina "spiritus". Entonces, el aliento y el espíritu están relacionados. En yoga, los ejercicios de respiración se llaman* pranayama; prana *significa energía vital y* yama *quiere decir control. Por lo tanto, en yoga, respirar es controlar la energía vital... y es de gran importancia para los sanadores, shamanes y aquellos que deseamos desarrollar una conexión con el espíritu*[1].

Nuestra existencia pierde el sentido si carecemos de espíritu o alma, y entonces estamos espiritualmente muertos; y si no respiramos, morimos físicamente. Por eso, el espíritu y la respiración son esenciales para nuestra existencia, y no es coincidencia que sus significados estén relacionados.

El espíritu, considerado en este caso según el significado de una de sus acepciones: vapor sutil que exhalan el vino y los licores, se dio a conocer a través de los primeros alquimistas, quienes descubrieron que el proceso de destilación del jugo de frutas frescas daba como resultado un líquido fuerte, potente y claro, que reflejaba el crecimiento espiritual del hombre, desde la inexperiencia hasta la fuerza y la claridad. (Creo que no previeron la popularidad que el proceso alcanzaría y que beber licor nos alejaría de nuestro ser espiritual en lugar de acercarnos a él.)

Respirar es lo primero y lo último que hacemos cuando entramos y salimos de la vida terrenal. Al inhalar, absorbemos la fuerza dadora de vida en forma de oxígeno, y cuando exhalamos eliminamos el tóxico dióxido de carbono. Si invirtiéramos el proceso, nuestro cuerpo no lo toleraría y moriríamos en minutos. El ritmo creado al inhalar y exhalar es un reflejo de cómo vivimos nuestra vida, pero también del ritmo del universo. Estos polos opuestos de tensión, la inhalación, relajación, y la exhalación se usan en las prácticas de respiración espirituales para que alcancemos un estado alfa de relajamiento más profundo. En este caso, respirar simboliza a la **dualidad**, en cuanto a tensión y relajamiento se refiere.

La respiración nos conecta con el mundo que nos rodea. La superficie de los pulmones es más extensa que la de la piel, por eso nos ofrece un receptor más grande del mundo exterior. No podemos *dejar* de respirar. Aun cuando los humanos nos hemos encargado de contaminar el aire, nos vemos obligados a integrarnos con él, como el resto de los seres. Respirar refleja nuestra coexistencia. No importa que deseemos estar aislados, la respiración nos recuerda que es imposible. Y aunque nos alejamos de las personas que no queremos que nos toquen, tenemos que respirar el mismo aire que ellas, y eso hace que nuestra conexión sea más íntima que el roce de piel con piel.

Hasta las plantas intervienen en el proceso creando oxígeno dador de vida durante el día y dióxido de carbono por la noche. Los bosques y la flora son los pulmones de la tierra. (¡Ojalá no los obligáramos a fumar!) La respiración también está relacionada con la **interconexión** y la relación con otras criaturas vivas.

Asimismo, la respiración tiene que ver con los **límites**. Si nos sentimos sofocados, o que nuestra libertad es restringida, podemos desarrollar enfermedades como el asma, que nos obligan a luchar para poder respirar. Cuando nacemos, la relación más cercana que tenemos es con nuestra madre, entonces, el asma representa el conflicto entre el deseo de respirar por nuestra cuenta, sin la intervención de mamá, y el temor a hacerlo. No tenemos *espacio* para respirar, los demás *se llevan nuestro aliento* y dependemos de los medicamentos para sobrevivir. Queremos independencia, pero nos asusta y no sabemos dónde empiezan y terminan los límites de los demás ni los nuestros. Cuando superamos la infancia y nos volvemos más independientes, el asma desaparece porque aprendemos a respirar con libertad.

Los límites se fijan entre los 6 y los 24 meses de edad, cuando el niño empieza a descubrir que es un ser independiente de su madre. A esta edad aprendemos a gatear, a caminar y a hablar, pero también es el inicio de "los terrible dos", cuando desarrollamos la voluntad y el control. Entonces, es común que niños de entre dos y tres años de edad empiecen a padecer asma. Si se nos imponen muchas restricciones, como límites muy estrictos (el uso frecuente de corrales infantiles), excesivo control emocional, movimientos limitados o todo lo opuesto, como la libertad total en forma de negligencia, negación de sentimientos o rechazo, nos costará trabajo distinguir dónde empieza el control que los demás ejercen sobre nosotros y dónde termina el dominio que tenemos sobre ellos.

Entre más profundo inhalamos la vida, más dispuestos estamos para abrazarla. Las respiraciones cortas y poco profundas indican una resistencia a vivir completamente en el aquí y ahora, y a absorber cada momento de la energía dadora de vida. La verdad es que no nos agrada aceptar que nos sucede algo.

La inhalación representa la forma en que respiramos la vida o aceptamos el mundo que nos rodea. Si es rápida, superficial y apresurada es porque no absorbemos todo lo que nos ofrece la vida. La forma en la que respiramos es el reflejo de nuestra forma de vida, y los hábitos relacionados con la respiración nos dan una perspectiva única de nuestros problemas, de los cuales posiblemente no estamos conscientes.

En **resumen**: los hábitos relacionados con la respiración tienen que ver con problemas de dualidad, sobre todo en lo referente a la dependencia e independencia; aceptar del presente y olvidar del pasado; comunicación y disociación; progresión y regresión espiritual; relajación y tensión-estrés; aceptación y rechazo; dar y recibir; expresar y reprimir, exceso y carencia de limites, y restricción y libertad.

Sabiendo esto, analicemos qué le pasa a la gente que adquiere el hábito de eructar continuamente.

ERUCTAR

En algunas culturas, un buen eructo después de comer es considerado el mejor cumplido que puede recibir el anfitrión; en otras, hace que te borren de la lista de invitados para siempre. En el sentido estricto, los eructos se originan en el aparato digestivo y no en los pulmones, aunque la acción sea la de expulsar aire (a menudo con un olor desagradable). El eructo por exceso, sobre todo después de ingerir bocadillos condimentados o bebidas con gas, es común y aceptado como parte del proceso digestivo. Sin embargo, hay personas que adoptan los eructos como hábito, ¡en especial los jóvenes!

Eructar es una agresión, pues la acción es sonora y despide un olor desagradable. Se origina en el estómago, que según el sistema oriental de chakras se asocia con el arquetipo del guerrero. Así, cuando eructamos, un ofensivo y desagradable gas, lo que brota es la intención de avisar a nuestros acompañantes que deseamos liberar algunos sentimientos de ira.

Esto sucede a menudo cuando estamos muy ocupados y nos pasan muchas cosas para asimilarlas. En vez de tragar y digerir las emociones conflictivas, las expulsamos. La sensación de que no controlamos tanta actividad nos provoca miedo, el cual ocultamos con un comportamiento agresivo.

Cuando dejamos que el aire salga, se reduce la presión acumulada en el interior del estómago, causada por emociones no digeridas (ira, por lo general), que nos producen agruras. (Emocionalmente, el corazón está que arde de ira no expresada.) En vez de enfrentar (cosa que podría ser desagradable) la ira o la agresividad que sentimos, nos la tragamos; es decir, nos *tragamos la ira* y ésta *nos devora*. A veces, hace que explotemos con una agresión verbal o simplemente se queda allí por años. Los antiácidos nos hacen eructar, lo que alivia el ácido-ira acumulado que, como buen ácido, nos corroe. Los adultos que padecemos acidez (demasiado fuego en el corazón), cosa que sucede cuando pensamos en lugar de sentir nuestras emociones, a menudo tomamos un antiácido para eructar y liberar nuestras emociones estancadas. Una solución para el problema es beber mucha agua, ya que ésta reduce la acumulación de ácido y, simbólicamente, elimina la incomodidad.

En las sesiones de Reiki, a menudo percibo las emociones acumuladas en el interior del paciente, siento que corren por mi cuerpo y después son expulsadas en forma de eructo. Con esta acción, que ocurre con frecuencia durante la sesión, literalmente siento cómo el cuerpo del individuo libera la tensión y, al hacerlo, cae en un estado de relajación más profundo.

CONTENER LA RESPIRACIÓN

Si decidimos no asimilar la vida, contenemos la respiración con la esperanza de que la vida se acabe y no tengamos que seguir adelante. Aunque, en la mayoría de los casos, contener la respiración es una manera de evitar una experiencia desagradable e inevitable. Cuando estamos tensos, nuestras respiraciones son cortas y superficiales porque no queremos asimilar lo que está sucediendo. El miedo hace que dejemos de respirar, el cuerpo se congela, el pulso se acelera, la adrenalina se libera, entramos en un nivel elevado de alerta y contenemos la respiración, como si fuera el último aliento. En el estado de relajación sucede lo contrario y respiramos profundamente.

Si descubres que estás conteniendo la respiración y no te encuentras en el fondo de la alberca, es porque vives situaciones que te provocan un temor constante. Pregúntate a qué o a quién le tienes miedo. ¿Vale la pena que arriesgues tu vida? Suelta el miedo, respira libre y profundamente, y disfruta el momento. El miedo al futuro hace que los momentos preciosos de la vida pasen de largo y evita que vivamos con plenitud. Inhala tu espíritu o valor, enfrenta al miedo y sigue adelante.

Hiperventilación

Se estima que el 10% de la población tiene el hábito de hiperventilarse. Este acto de respirar rápida y superficialmente produce pérdida de dióxido de carbono e incremento del oxígeno, y el desequilibrio resultante causa dolores y piquetes, mareo, ataques de pánico, dolores de cabeza, insensibilidad y hormigueo.

El término original para oxígeno era *principe oxygene; oxygene* viene del griego *oxus*, que significa agudo o ácido. La hiperventilación disminuye la cantidad de dióxido de carbono en el plasma de la sangre, y eso nos vuelve más ácidos y menos alcalinos; mientras que el oxígeno incrementa la acidez en el cuerpo. El ácido-oxígeno es un principio masculino, de fuego –según Génesis 2:7, donde se describe a Dios dando aliento de vida a Adán–, en tanto que la alcalinidad es un principio femenino, de agua. Retomando el tema de la dualidad, que se mencionó al principio de este capítulo, podemos decir que inhalar es una función masculina, y exhalar femenina. Una dieta rica en frutas y verduras vuelve más alcalino a nuestro sistema, en tanto que el exceso en el consumo de carne –tradicionalmente una dieta masculina– lo hace más ácido. Los perros alimentados con dietas alcalinas son más pasivos, y aquellos que solamente comen carne son más agresivos.

Cuando nos hiperventilamos, desequilibramos en nuestro interior las energías masculino-femenina o agua-fuego. Utilizamos todo el dióxido de carbono-energía femenina y nos quedamos con un excedente de oxígeno-energía masculina. Al respirar muy rápido atraemos más oxígeno o energía masculina y podemos pelear nuestras batallas con más fuerza. Los shamanes usan esta técnica para lograr estados alterados del ser; los guerreros primitivos cantan y danzan antes de la batalla, para entrar en una especie de trance, un estado de energía masculina.

La hiperventilación se convierte en un hábito porque con frecuencia sentimos que debemos "pelear o huir", pues nuestra seguridad está en peligro. Igual que contener la respiración, la hiperventilación se relaciona con el miedo. La diferencia radica en que al contener el aliento deseamos desconectarnos de la vida, y al respirar muy rápido inhalamos el fuego que nos permite defendernos. Sentimos pánico, pero aun así nos da miedo cambiar la situación en la que nos encontramos. Tememos a las emociones que nos embargan e intentamos equilibrar nuestros sentimientos con pensamientos, porque los sentimientos nos asustan.

Si constantemente nos encontramos en situaciones que nos atemorizan, es un indicativo de que no confiamos en el proceso de vida, pues muy en el fondo creemos que las cosas saldrán mal y no bien. Pero al respirar mucho fuego corremos el riesgo de *consumirnos*.

Los efectos de la hiperventilación empeoran si fumamos, que es otra forma, aun más desesperada, de absorber el fuego que necesitamos para desprendernos de nuestros sentimientos.

Busca qué produce tu miedo. ¿Tus problemas masculinos-femeninos te hacen sufrir o te desequilibran? Regálate unos instantes (diez minutos) todos los días para permitirte sentir (lo opuesto a pensar) a qué le tienes miedo. Escribe lo que llegue a tu mente, no importa que te parezca tonto. Después de haberte concedido el permiso para reconocer tus temores, empieza a respirar profundamente, hasta que encuentres el equilibrio a través de los principios masculino y femenino de inhalar y exhalar.

SUSPIRAR

Existen dos tipos de personas que suspiran: aquellos que suspiran al inhalar y quienes lo hacen al exhalar. Por lo general, el primer caso es señal de estrés y el segundo de relajación. El suspiro en la inhalación (seguido de un "hmpfff" en la exhalación) es una forma de informar a quienes nos rodean que no somos felices, y que no podemos expresar nuestros sentimientos. El sonido es un medio universal para transmitir la ira y el estrés que nos provoca la situación. Es frustrante para quienes escuchan este mensaje sencillo pero tóxico, sobre todo si se repite todos los días sin que la persona que suspira comunique la verdadera causa del descontento, pues ésta espera que los demás sepan cuál es el problema como por arte de magia. Este comportamiento puede ser un método de ataque manipulador.

La solución es producir sonidos en la exhalación, como "harrrrrr", "haaaaaaaa" o "ahhhhhh", para eliminar la tensión y la ira que los acompaña.

FUMAR

Fumar es más una adicción que un hábito, aunque se clasifica como ambas, razón por la cual, además de su excepcional popularidad, la incluí aquí.

¿Recuerdas que en párrafos anteriores expliqué que la respiración tiene que ver con la dualidad –en relación con aspectos como comunicación y disociación, progresión y regresión espirituales, relajación y tensión-estrés, expresión y represión, y restricción y libertad? Fumar es el intento de equilibrar esas áreas en nuestro interior. Al fumar, llevamos a nuestro interior relajantes bocanadas de nicotina, por eso se nos antoja la nicotina cuando volvemos a estresarnos. El alquitrán de los cigarrillos llena nuestros pulmones, reduciendo el área de contacto con el mundo exterior. Eso es una muestra de que nos da miedo ponernos en contacto con el mundo real, y creamos una barrera tóxica para evitarlo.

Fumamos para escapar de la realidad de nuestra vida si queremos libertad, pero nos sentimos restringidos; si deseamos intimar y comunicarnos con los demás, pero nos da miedo hacerlo; si estamos estresados y queremos liberarnos de los problemas; si queremos expresar nuestros verdaderos sentimientos, pero nos da miedo; y si anhelamos una conexión espiritual, pero tememos a la disciplina y valor que se requieren para dar el paso.

Después de todo, fumar es el hábito de la necesidad y es este deseo, este apego a la idea de cómo debería de ser la vida, el que nos hace desear otro cigarrillo. Esta es la razón emocional por la cual es tan difícil dejar de fumar. Igual que los deseos físicos, dejar de fumar significa enfrentar las cosas como son en lugar de hacer castillos de humo cuando nuestros *sueños se esfuman*. Cuando el fumador reformado vive una crisis, ansía con desesperación el escape que ofrece el fumar.

Con frecuencia, fumar cigarrillos va de la mano con beber (la mayoría de los alcohólicos son fumadores). Como nuestras dualidades no están en equilibrio, bebemos para obtener más agua, y después fumamos para equilibrar el agua con fuego.

La publicidad de los cigarrillos (cuando aún era legal) mostraba imágenes de cómo nos gustaría que fuera nuestra vida. Para el hombre común, sumergido días tras día en la rutina de su aburrida y ordinaria vida, la imagen de un macho, aventurero y libre, era símbolo del mundo en el que le gustaría vivir. De igual forma, para el resto de las personas que luchan por sobrevivir, la diversión, el jet-set, la gente bonita, se transformaron en la meta que sabían no podrían alcanzar. Sin embargo, fumar les ofrecía la posibilidad de imaginar otro estilo de vida, crear una *pantalla de humo* entre su vida real y la imaginaria. En términos de fumador, este estilo de vida está a una bocanada.

Fumar también afecta la autoestima. Los dedos amarillentos, el mal aliento y los dientes manchados, además de que una simple hoja envuelta en papel tiene el poder de ponernos tensos, irritables e irracionales cuando nos privamos de ella, nos hacen sentir débiles. Los numerosos intentos fallidos de dejar de fumar merman nuestra autoestima quizá mucho más que cualquier otro hábito, con excepción del alcohol y las drogas.

El fuego es símbolo de transformación; sin embargo, fumar cigarrillos es un gesto cruel y ridículo que indica lo estancados que estamos. *Jugamos con fuego* y caímos en la trampa de la nicotina. Tan sólo diez segundos después de haber sido inhalada, la nicotina llega al cerebro, y cuando lo hace, libera químicos asociados con el placer y la concentración, disminuyendo la necesidad de alimentarnos y reduciendo el estrés y la irritabilidad. Por eso fumar es un pasatiempo tan popular, pues nos hace desear otro cigarrillo cuando dichas sensaciones vuelven a aparecer.

ESTORNUDAR

Estornudamos cuando algo nos irrita. Es común que estornudemos si somos alérgicos a una sustancia en particular, por ejemplo: el polvo, el pelo de gato, las plumas o el polen. Por ello, los estornudos frecuentes y las alergias están íntimamente relacionados. En términos generales, las alergias son expresiones inconscientes de agresión reprimida. El cuerpo considera hostil lo que respiramos y lo expulsa con fuerza. El agente que produce la alergia representa a una persona irritante o una situación incómoda que nos produce temor y queremos deshacernos de ella rápido. La agresión siempre está detrás del miedo y al "luchar" contra lo que nos irrita, esperamos expulsar nuestros miedos inconscientes.

Necesitamos observar cuál es la sustancia que nos causa la alergia si queremos descubrir en qué área de nuestra vida está la irritación. Si se trata del pelo de gato, el problema puede localizarse en un aspecto más básico o instintivo de nuestro ser –que quizá vemos reflejados en otros– que está relacionado con la independencia, la feminidad, la calidez y la intuición. Por lo tanto, la causa puede residir en los problemas con la madre y el deseo de independizarse de ella. Tal vez quieres independencia, pero temes dejar la calidez que la madre representa, y eso te provoca frustración e irritación, contigo y con ella.

En el caso del polvo, puede tratarse de una reacción al lado oscuro de la vida o de nuestro ser. No queremos que nadie *conozca nuestra suciedad.* En el caso de las plumas, se cree que éstas conectan a la humanidad con lo Divino, por eso los americanos nativos usaban penachos. Quizá somos alérgicos a ellas porque deseamos ser un espíritu libre, capaz de volar hacia la libertad, pero la independencia nos atemoriza. Y esta necesidad de seguridad constante es lo que nos irrita. El polen es el "esperma" de las plantas; por lo tanto, la reacción alérgica al polen representa el miedo a la sexualidad y a la fertilidad, y se intensifica en la primavera, la época tradicional del apareamiento. Con todo lo anterior, nuestra reacción ante los agentes que producen las alergias es deshacernos de ellos rápido para no tener que enfrentarnos a lo que representan.

Estornudar a causa de los alérgenos también puede, inconscientemente, convertirse en una forma de manipulación, pues tenemos que deshacernos de nuestras queridas mascotas, las habitaciones se limpian incontables veces, no podemos fumar, compramos ropa de cama especial, y todo esto hace que el enfermo controle el mundo en el que vive. Los demás se ven obligados a cumplir con sus exigencias, y el que estornuda logra desahogar su agresión de una manera más aceptable socialmente. Esta agresión por lo general tiene su origen en una profunda inseguridad que va de la mano con el deseo de reconocimiento o atención.

Según mitos antiguos, estar en contacto con el alérgeno equilibra la reacción alérgica y la deja sin efecto. Esto es lógico desde el punto de vista de que el individuo se ve obligado a enfrentar al agente que provoca la alergia y lo que simboliza, en lugar de expulsarlo. (Sin embargo, no es recomendable hacerlo sin supervisión médica.) Se trata de amar aquello que tememos u odiamos. Entre más poder le otorgamos al alérgeno, más poder ejerce en todos los que habitan en la casa.

Cuando estamos resfriados y estornudamos, expulsamos los gérmenes que nos atacan. Es como una guerra en la que amenazamos a nuestro contrincante con sufrir las consecuencias de nuestro ataque si se nos acerca.

ASPIRAR

A diferencia de estornudar, cuando aspiramos retenemos el problema en lugar de expulsarlo. El fluido que reabsorbemos son las lágrimas que no derramamos. Estamos tristes y en lugar de soltar la situación, nos aferramos a ella. La nariz está ubicada en el área asociada con la intuición y la conciencia personal. Al aspirar evitamos abrirnos a nuestro yo intuitivo o intuición. ¿Existe alguna percepción o intuición que nos da miedo expresar?

A través del sonido audible que hacemos, queremos que reconozcan nuestro dolor o agitación. ¿Sientes que necesitas atención, o que alguien adivine lo que no puedes expresar? A veces, estornudamos y aspiramos al mismo tiempo; es decir, nos deshacemos de nuestra agresión (estornudar) y contenemos nuestra tristeza (aspirar). Queremos que los demás nos ayuden, pero nos da miedo pedirles ayuda.

Hace años, mi esposo compartía un departamento con otros dos hombres. Uno era callado, tímido y le costaba trabajo decir lo que sentía al compañero de departamento que medía 1.85 metros, ávido bebedor de cerveza y fanático del rugby. Por lo tanto, aspiraba constantemente, lo que irritaba a ambos habitantes de la casa. Con frecuencia, sus compañeros de trabajo se burlaban de él y no tenía valor para decir que se sentía agredido, así que mejor aspiraba.

La nariz es otro aspecto de la aspiración. Pues, como en el caso de la respiración en general, está relacionada con la manera en que interactuamos. Se ha reportado que bebés de un día de nacidos presentan expresiones faciales que indican su desagrado cuando se les acerca a olores desagradables, como un huevo podrido (¡No hagan esto en casa!). También responden al olor de su madre.[2] A través del olfato, y a menudo de manera inconsciente, aprendemos mucho de nuestro entorno.

El olfato es un sistema de alerta precoz que nos alerta sobre la presencia de fuego o químicos tóxicos mucho antes que el resto de los sentidos se percate de cualquier disturbio. En un estudio poco convencional, se descubrió que las mujeres son capaces de diferenciar el olor del sudor de las axilas provocado por las emociones de una persona que ve una película alegre o triste.[3] Por lo tanto, se cree que comunicamos muchas de nuestras emociones a través del olfato. También se sabe que la tasa de depresión es muy alta entre los individuos que pierden el sentido del olfato. ¿Se debe a que se sienten segregados de un nivel más profundo de comunicación con los demás?

Cuando aspiramos podemos percibir, por instinto, las emociones de los demás o *inhalamos* algún aspecto de una persona o de la vida que no queremos atraer y aspiramos con desdén. Analizamos lo que sucede pero, por alguna razón, nos sentimos incapaces de expresar nuestro rechazo. ¿Qué pasa en tu vida que no quieres reconocer o aceptar? ¿No recibes el reconocimiento que mereces, y eso te molesta?

RONCAR

Las personas que no duermen porque los ronquidos de su pareja se los impide, saben lo agotador que resulta roncar. Se estima que aproximadamente el 40% de los adultos ronca, y los hombres superan por mucho a las mujeres en este hábito.[4] (En cuanto a las razones emocionales que hacen que una persona ronque, dejaré que saques tus propias conclusiones.) No es muy excitante que tu pareja haga tanto ruido estando tú a su lado, y este acto relativamente insignificante ha provocado la separación de muchos matrimonios, ya que el individuo que ronca es alejado del lecho conyugal.

¿Qué causa los ronquidos? Uno ronca porque los tejidos y la cubierta suave del paladar vibran cuando pasa el aire, pues la lengua se retrae hacia la vía respiratoria, estrechándola o bloqueándola. Esto obliga a que el aire pase por un canal más estrecho con mayor rapidez, ocasionando la vibración. Cualquier cosa que afecte el peso, tensión o tamaño del paladar producirá ronquidos.

El sobrepeso provoca que algunas personas ronquen porque la grasa se acumula alrededor del paladar y altera su peso. Las bebidas alcohólicas y las pastillas para dormir relajan los músculos del paladar y facilitan los ronquidos. Resfriados, fumar, envejecer, sinusitis, reflujo y factores hormonales se encuentran entre las causas de este molesto hábito. El uso de drogas que se inhalan, como la cocaína, inflaman el área e incrementan los ronquidos.

Roncamos al inhalar que, como ya sabemos, se relaciona con el principio masculino y con cómo nos integramos al mundo que nos rodea. Nuestro cuerpo crea un bloqueo que dificulta este proceso porque no estamos completamente dispuestos a respirar las experiencias de la vida, sobre todo los asuntos relacionados con lo masculino. No queremos absorber lo que está pasando y preferimos resistirnos a vivir con plenitud. Roncamos en las noches mientras dormimos, lo que indica que el bloqueo es una reacción inconsciente de sabotaje. Conscientemente sentimos que estamos abiertos al cambio, pero *in*conscientemente el miedo nos bloquea.

En el caso de la apnea, roncamos de manera desigual, alcanzando un impresionante "crescendo", que se detiene cuando contenemos el aliento y dejamos de respirar. Esto es muy peligroso, y en algunos casos ha provocado la muerte. Con esta acción no sólo expresamos nuestra resistencia al cambio, también indicamos que preferimos morir que aceptar la situación. (Como el novio que murió a causa de la apnea la noche anterior a la boda.)

Con la edad, es más difícil aceptar los cambios, por eso roncamos más conforme envejecemos. De igual forma, un fumador crea una *cortina de humo* que lo separa de los cambios que necesita hacer, mientras que una persona padece de reflujo porque le cuesta trabajo digerir lo nuevo. Los individuos que roncan a causa del sobrepeso, crean su *peso* para dejar en *espera* una situación y no tener que seguir adelante. Aquellos que beben mucho y roncan, demuestran que no quieren ver el mundo como es. Cuando beben, el mundo idealizado que anhelan se vuelve realidad; bajan la guardia y el mundo se vuelve su amigo. El mundo es un lugar ardiente y complicado, y es más fácil soportar el fuego cuando se impregna con el líquido de las bebidas alcohólicas. Entonces, roncan porque no desean aceptar el mundo como es y no quieren que nadie rompa su burbuja.

Cuando padecemos un resfriado, roncamos. Esta resistencia al cambio es temporal, mientras confrontamos nuestras emociones, simbolizadas por el fluido acuoso que, igual que las lágrimas, es una manera de eliminar el dolor. En el caso del resfriado, nos resistimos a avanzar hasta que nos hayamos desecho del dolor del pasado. También nos agrada hibernar en una cama tibia y no queremos hablar con nadie, creando así un espacio seguro para enfrentar el cambio.

El desagradable sonido gutural que se produce al roncar (que puede sonar como un ladrido o gruñido) también indica ira, hacia nosotros mismos por no cambiar, o hacia los demás, porque creemos que están bloqueando nuestros intentos por cambiar. Igual es una advertencia para la persona que comparte la cama con nosotros para que no intente cambiarnos. (Los fumadores, los drogadictos y los alcohólicos son casos particulares, no les agrada que les digan que dejen sus adicciones.) Cuando los ronquidos son altos, el ruido es discordante e irritante, altera el ritmo normal de la respiración y el ritmo natural de nuestras vidas. Por lo tanto, cuando nos levantamos nos sentimos ansiosos y desequilibrados.

Existen diversos métodos para aliviar los ronquidos físicamente, como almohadas anatómicas, placas dentales, sprays, tónicos, pastas, bandas vibradoras para la muñeca y, en casos más extremos, cirugía. Pero lo que realmente debemos analizar es qué nos da miedo cambiar. ¿Qué nos impide cambiar? ¿Qué área de nuestra vida se ha estancado y necesita *aire fresco*? ¿Disfrutamos y aceptamos cada respiración? Busca opciones, no importa que sea algo tan insignificante como tomar otra ruta hacia el trabajo, o hacer algo que siempre has deseado pero no habías tenido tiempo para hacerlo. Así encontremos otras formas de respirar libremente, absorbiendo cada precioso momento de nuestra vida.

Jalar aire con la boca cerrada

Cuando jalamos aire con los labios apretados, producimos un sonido similar al siseo de una serpiente. El parecido con la serpiente no es coincidencia, nuestro estado de ánimo indica que estamos listos para atacar al que se cruce en nuestro camino. Al respirar de esta forma, limitamos y controlamos la cantidad de atmósfera que absorbemos. La verdad es que no queremos interactuar con el mundo y preferimos succionar nuestro veneno, porque nos da miedo respirar y decir libremente lo que sentimos. Entonces, succionamos las palabras tóxicas y nos mordemos los labios, así nos hacemos daño a nosotros y no al enemigo. Con el siseo les decimos a todos que estamos muy enojados, y manipulamos la situación para volverla controlable.

Notas

1. Caroline Shola Arewa, p.83, *Opening to Spirit*, Thorsons, Londres, 1998.
2. J.E. Teiner (1977). Expresiones faciales en los infantes neonatos indican el hedonismo de estímulos relacionados con la comida. En *Taste and Development. The Genetics of Sweet Preferences*, J.M. Wiffenbach (ed.) NIH-DHEW, Bethesda, Dr. J.E. Steiner (1979). Las expresiones faciales humanas en respuesta al gusto y estímulos olfativos. En *Advances in Child Development vol. 13*, L.P. Lipsitt y H.W. Reese (eds.), Academic Press, Nueva York.
3. Ackerl, K., Atzmueller, M y Grammer, K. *Neuroendocrinology Letters 23*, 78-84 (2002). Los sujetos femeninos usaron almohadillas bajo los brazos (axilas) mientras veían una película de miedo o "neutral". Las almohadillas se presentaban a un panel de mujeres que pudieron diferenciar entre las almohadillas de "miedo" y de "no miedo".
4. Roncar afecta cerca de la mitad de hombres y 25% de las mujeres, la mayoría de 40 años o mayores. Referencia: MayoClinic.com

Capítulo seis

Mastica esto

Comportamientos relacionados con la boca, morder y masticar

LA BOCA EN GENERAL

Hablamos y respiramos a través de ella, la usamos para tener sexo, comer, beber, ¡y para hacer burbujas! Entonces, la boca tiene muchas funciones, más que cualquier otro orificio del cuerpo. (¡De seguro es femenina!)

La boca es el punto de transición en el que el mundo exterior penetra en nuestro mundo interior. A través del diálogo, expresamos nuestros pensamientos a las personas que nos rodean. Al comer y beber, nos nutrimos del mundo; al respirar, nos conectamos de manera única con el entorno, pues inhalamos el mismo aire que respiran amigos y enemigos por igual.

Las funciones de la boca son tomar algo del mundo exterior, digerirlo internamente y expulsarlo. Cuando comemos o bebemos, los alimentos y los líquidos se ingieren y los deshechos son excretados; al respirar, absorbemos oxígeno y liberamos dióxido de carbono; al comunicarnos, tomamos mentalmente lo aceptable y expresamos lo que compartimos con la comunicación. Todo obstáculo emocional de este proceso, se manifiesta a través de la boca, ya sea con lo que comemos y cómo lo hacemos, de nuestra respiración, o de lo que decimos o callamos. De igual forma, cualquier comportamiento relacionado con la boca, indica problemas con la forma en que absorbemos o rechazamos al mundo exterior.

El resto de los orificios del cuerpo tiene tareas menos diversas: la vagina sirve para tener relaciones sexuales y dar a luz; los oídos son para comunicarnos; la nariz es para respirar y oler; mientras que la boca es el más importante de todos porque participa en las funciones antes mencionadas y en muchas más.

Cuando hay un desequilibrio entre lo que entra y lo que sale de nuestra boca, es señal de que necesitamos o estamos muriendo por algo. Si el desequilibrio se presenta en la respiración, es porque está relacionado con la independencia; si tiene que ver con la comida, indica nuestra necesidad de ser amados, nutridos o aceptados; si se relaciona con la comunicación, concierne a la intimidad o la verdad.

MORDER

En mi libro *Cómo sanar los hábitos*, el primero que escribí sobre hábitos, no marqué la diferencia entre morder y masticar. Sin embargo, después de reflexionar, comprendí que existe una sutil diferencia entre ambos. El comportamiento que tiene que ver con morder es más duro y más agresivo (como si *"quisiéramos morderle el cuello de alguien"*), a diferencia de masticar, que está más relacionado con el asunto de "rumiar" los conceptos ("rumiamos el problema"). Pues bien, empecemos *echándole el diente* a morder.

Los perros muerden cuando se sienten amenazados; si están contentos, mastican un hueso (o cualquier otra cosa, y ojalá no sea el cartero). Morder indica un estado de agresión en el que estamos listos para lanzar *mordidas* si nos presionan. Decir un comentario humorístico, pero insidioso, significa que tenemos un *sentido del humor mordaz*; mientras que a un viento helado que nos cala, lo describimos como *viento cortante*. Y justamente eso hace el hábito de morder, corta en pedacitos al adversario. Igual que un perrito neurótico, deseamos lanzarle un mordisco a alguien, sin embargo nos ponemos el bozal. Vivimos en un mundo en el que no es socialmente aceptado arrancarle un pedazo a aquel que ignora el orden de la fila en el restaurante y, entonces, en vez de *pelar los dientes*, los escondemos apretando los labios.

Por eso mordemos objetos inanimados, como plumas, uñas, gomas, etcétera, deseando inconscientemente que se trate de nuestro adversario. Soportamos la situación y reprimimos nuestra agresión y angustia, y *mordemos el polvo*. Preferimos *mordernos la lengua* para no expresar nuestro enojo, pero nos lastimamos y nos hacemos daño porque nos da miedo *morder más de lo que podemos masticar*.

Los diferentes objetos que mordemos indican dónde reside nuestra agresión; por ejemplo, mordemos una pluma porque quizá tenemos problemas en el trabajo. ¿Necesitamos aclarar algún asunto en particular, pero lo evitamos? ¿Mordemos una goma porque nos molesta no poder *borrar* o eliminar alguna situación o persona? (Las uñas se tratan en una sección individual de este mismo capítulo.)

Originalmente, la palabra morder provenía de la raíz indoeuropea *bheld*, que significa dividir o romper. ¿Nos da miedo que, al expresar nuestros sentimientos de ira, se rompa o divida la relación? La ira se aloja en el reino de nuestro lado oscuro u oculto cuando no podemos expresarla de manera saludable. Incapaces de controlarla de forma sana, nos volvemos dulces y mostramos una agresión pasiva, quedando expuestos a presentar estallidos súbitos, violentos y groseros.

MASTICAR

Como ya lo mencionamos, masticamos cosas para sustituir la agresión con una situación que se ha estado gestando desde hace tiempo. No nos lanzamos al ataque, como en el caso de morder, mejor rompemos el problema en pedazos pequeños y digeribles. En el proceso real de comer, el primer paso es morder, después molemos o trituramos la comida para facilitar su asimilación. De igual forma, una vez que aceptamos la situación tenemos que romperla en pedacitos que sean emocionalmente digeribles. Resistirnos a masticar la comida lo suficiente, significa que queremos deshacernos de emociones *"difíciles de tragar"*, lo que además dificulta la digestión. Si tragamos muy rápido, sin haber masticado lo suficiente, ¿cuáles sentimientos agresivos nos hacen sentir incómodos o nos cuesta trabajo digerir?

Analicemos un comportamiento más específico relacionado con morder y masticar:

MASTICAR CHICLE

Masticar, en el caso del chicle, indica que no queremos digerir y soltar una experiencia, preferimos darle vueltas una y otra vez. Masticando, como un niño en etapa de dentición, aliviamos nuestros miedos y, a través del sabor dulce, creemos que las cosas marchan bien. Como nos sentimos inseguros, permitimos que el mundo exterior entre, pero sólo en la medida que podamos controlarlo, y no lo digerimos.

Los chicles vienen en diferentes sabores y, según la publicidad, "refrescan el aliento", y quizá lo que necesitamos refrescar son nuestros pensamientos de enojos no digeridos. El mal aliento es producto de profundos resentimientos e ira no expresados. Literalmente, nos tragamos nuestros sentimientos infectados. Al masticar chicles de sabores, cubrimos nuestros sentimientos tóxicos y los reemplazamos con una "frescura de menta", pero como el dulce se desvanece rápido, sólo nos deja pensamientos malolientes. A menudo, masticamos chicle para parecer que estamos tranquilos y relajados, disimulando nuestra inseguridad y agresión reprimidas. El chicle tiene sabor a menta por otra razón, la ira se clasifica dentro del elemento fuego, y si tenemos mucho fuego en nuestro interior, lo que deseamos es refrescarnos y qué mejor que con menta.

COMER MUCHO Y MUY RÁPIDO

La gente que come muy rápido no se da tiempo suficiente para trabajar los problemas y liberarlos; tiende a hacer las cosas rápido para pasar a lo que sigue, mientras que los individuos que comen despacio, absorben todo lo que les ofrecen las experiencias. Las personas que comen rápido tienen muchos proyectos en un momento dado, pero les cuesta trabajo completarlos satisfactoriamente.

Si no masticamos cada bocado lo suficiente, no rompemos la comida en pedazos pequeños para digerirlos bien. Tragamos la comida muy rápido porque nos apresuramos a aceptar las cosas, pero no tenemos paciencia para solucionarlas.

No permitimos que nuestro horario de comida funcione adecuadamente y terminamos comiendo demasiado.

La culpa es otro motivo para comer muy rápido. Cuando nos sentimos mal por haber hecho algo, comemos rápido y a hurtadillas. Si estamos conscientes de nuestros hábitos alimenticios, comer muy rápido puede ser una forma de negar que ya comimos, y un medio para calmar la culpa por haberlo hecho. Como el niño que devora ávidamente un dulce robado, pues comer rápido es una manera de deshacernos de la evidencia lo antes posible.

Si tus acompañantes aún tienen los platos llenos cuando en el tuyo no hay ni una migaja, pregúntate si te sientes culpable por comer. ¿Te sientes vacío emocionalmente? ¿Anhelas intimidad y sustituyes esa necesidad con comida? ¿De qué tienes hambre? ¿Qué sientes que no tienes? ¿Buscas satisfacción en la comida, cuando en el fondo sabes que tu alma necesita alimento? Comer debe ser una experiencia sensorial, en la que saboreamos cada bocado, en la que comemos para disfrutar y no sólo para llenarnos. Si comemos conscientemente, casi como una práctica de meditación, obtendremos mayor placer de la experiencia y, masticando la comida unas cuantas veces más, será más fácil asimilarla, además ¡nos ayuda a perder peso!

HÁBITOS ALIMENTICIOS: NECESIDAD DE CIERTOS ALIMENTOS

Alimentos dulces

Si abrimos una barra de chocolate y tenemos que comerla toda; si debemos ponerle tres cucharadas de azúcar al té;

o si las galletas desaparecen "misteriosamente" del frasco, tenemos que aceptar que el azúcar es una adicción. Cuando nos comemos una gran rebanada de pastel de chocolate, sentimos que la vida es más dulce.

A menudo, los niños reciben dulces en lugar del amor que necesitan, ya que es una forma rápida de conservar la paz. Por eso, los niños aprenden a sustituir su necesidad interna de amor con la necesidad externa de comer dulces. No es coincidencia que en las cajas de los supermercados encontremos una gran variedad de dulces. Justo cuando mamá está desempacando, el niño demanda atención y, ¡listo!, una barra de chocolate es la solución instantánea. Las mamás que lo hacen una vez, saben que inician un patrón que concluirá sólo si soportan una buena cantidad de berrinches.

La falta de amor o atención nos produce una ira que se arraiga en lo más profundo de nuestro ser y se refleja en los dientes picados. Solemos decir que "tenemos buen diente", pero es una contradicción, pues esta combinación de palabras incluye algo que es atractivo y algo que es desagradable (bondad y agresión). Una persona melosa se vuelve tan insoportable como un dulce pegajoso, e igual de difícil de despegar. Los dientes representan decisión y agresión, pero también límites. Si mantenemos la boca y los dientes cerrados, nada penetra en nosotros. Los dientes con caries indican agresión reprimida a causa de decisiones que nos afectan, o límites que han sido transgredidos. Si los dientes que, en estado primitivo, usamos para herir o atacar se erosionan, nuestros sentimientos también, y eso nos produce dolor y malestar. La solución médica es eliminar la caries y cubrir el hueco con una sustancia impenetrable, o bien extraer la pieza dañada, lo que equivale a sacar lo que nos está carcomiendo emocionalmente y crear una barrera artificial e imposible de penetrar.

La medicina ayurveda relaciona el azúcar y la leche con el alimento y la maternidad. Cuando somos bebés, nos alimentamos de leche materna a través de la boca, así sentimos calidez y amor. Cuando somos niños y no nos sentimos satisfechos con el alimento, constantemente buscamos llenar el vacío con dulces de diferentes tipos. Esto puede convertirse en un círculo vicioso, pues el hambre nos lleva a buscar comidas dulces creando exceso de mucosidad y de peso, lo que nos hace sentir menos dignos de ser amados y menos capaces de encontrar el amor. Entonces, intentamos endulzar nuestro dolor con más comidas dulces y el ciclo continúa. La palabra "cariño" sintetiza la relación entre los dulces y la necesidad de amor. Cuando estamos enamorados, decimos que el amor nos *endulza la vida*, que es otra forma de relacionar la palabra *dulce* con el corazón. Cuando deseas atención o amor, ¿te dices con *dulzura* que puedes sustituirlos con un caramelo?

Analiza tu infancia. ¿Tu mamá estuvo ausente física o emocionalmente? ¿Eran demasiados hermanos luchando por recibir su atención y su amor? Tal vez a ella no le dieron el amor que necesitaba y por eso fue incapaz de dar lo que no recibió.

Alimentos salados

¿El amor es crujiente? ¿No resistes ponerle sal a la comida antes de probarla? Según la clasificación ayurveda, el consumo excesivo de sal está relacionado con *fuertes necesida-*

des y *deseos compulsivos*. Cuando se nos antoja consumir alimentos salados, queremos ingerir más energía de fuego, la cual tiene que ver con la actividad mental. Entonces, es lógico que necesitemos aumentar el consumo de sal cuando vamos a realizar actividades intelectuales o que requieran análisis. Esto tiene sentido si consideramos las grandes cantidades de sal que consumimos actualmente, en comparación con los siglos pasados. Vivimos en un mundo donde los valores masculinos dominan nuestra sociedad y donde es más apreciado pensar, que sentir.

A lo largo de la historia, se han desatado guerras por la sal, altamente apreciada por sus atributos. Encontramos la raíz de la palabra sal en muchas palabras, como *salchicha* (alimento que se prepara conservado en sal), *salsa* (comida salada), *ensalada* (que significa "ponerle sal"). La palabra *salario* data de épocas romanas, cuando a los soldados se les pagaba con sal, de allí la frase "vales lo que pesas en sal".

La sal se usa también como medicina y como conservador y, en el misticismo, algunas personas la utilizan para comunicarse con el mundo de los espíritus. La sal se emplea para purificar o limpiar porque acaba con las bacterias. Por lo tanto, el uso excesivo de sal puede ser una señal inconsciente de que necesitamos limpiarnos o purificarnos de adicciones o patrones de pensamiento para recuperar el equilibrio.

La sangre sabe a sal, por eso judíos y cristianos sustituyen la sangre con sal en sus ceremonias. Cuando le decimos a alguien que es "la sal de la tierra", significa que es la sangre de la tierra, y que es una persona digna de confianza, atributo que se adquiere cuando se logra el equilibrio intelectual y emocional.

Alimentos condimentados

Las especias son otro elemento de "fuego". ¿Alguna vez has deseado ponerle más *sal y pimienta* a tu vida amorosa? ¿Quieres *encender la chispa*? ¿Quieres *prender el fuego*? Son frases que decimos con frecuencia para sugerir que deseamos que la vida sea un poco más emocionante, pues estamos cansados de la rutina. Condimentamos nuestra comida y nuestra vida porque ansiamos emociones fuertes y diversión. Comemos alimentos condimentados porque nos gusta la acción e iniciación. Sin embargo, estos fuertes sabores son difíciles de digerir y nos dejan con ganas de tomar agua para *refrescar las cosas.*

Alimentos desabridos

Quita las sensuales especias, la espesura de la crema, el aroma de las hierbas frescas y tendrás como resultado un platillo desabrido. A la gente que le gusta la comida desabrida, sin sabor, le da miedo la variedad y las cosas nuevas. No quieren agregar sabor ni color a su vida.

Por lo general, los enfermos de artritis y gota son sometidos a dietas blandas para reducir la acidez de su organismo. Ambas enfermedades están relacionadas con la rigidez, el control y el perfeccionismo. A estas personas les cuesta trabajo digerir las experiencias, o los alimentos, que no coinciden con su forma de hacer las cosas. Necesitan la suavidad y la ausencia de especias para tener buena digestión, porque así no se sienten amenazados. No toleran lo exótico y diferente, y su cuerpo se inflama y duele cuando tienen que digerir este tipo de alimentos. Los pacientes que están en recuperación después de haber sido hospitalizados o haber estado enfermos, deben comer alimentos sin condimento para que su cuerpo se recupere y digiera la experiencia, antes de lanzarse a las emociones que les ofrece la vida.

Papillas

Existe gente, aunque no lo creas, a la que le encantan las papillas, como chícharos molidos, puré de papa, avena cocida, etcétera. Es cierto que a todos nos gusta un poco este tipo de comida, pero cuando es la elección dominante o única y ya no tenemos dos años de edad, es una cuestión emocional. Muchas personas con problemas digestivos prefieren este tipo de dieta porque es más fácil de digerir, pues ya se eliminó el trabajo agresivo de morder y masticar y lo único que tienen que hacer es tragar. Como ya lo mencionamos, morder y masticar están relacionados con sentimientos de agresión, y estos individuos no saben enfrentar sus sentimientos agresivos. Desean que la vida sea suave y fácil (¿no es lo que todos queremos?) como cuando eran niños (las papillas son comida para bebé) y la vida pasaba sin que tuvieran que enfrentarse a problemas, confrontaciones y desafíos. Eso es demasiado para ellos, por eso este tipo de dieta se da a los enfermos terminales. Las papillas son alimentos cocidos en exceso, cuyos nutrientes y energía de vida desaparecieron con el vapor y el agua de la cocción. Esto indica que las personas que prefieren las papillas se resisten a ingerir la fuerza de vida y la energía, pues simplemente es demasiado aterrador y *difícil* de enfrentar.

Masticar tabaco

Masticar tabaco es cada vez menos popular, pero si conoces a alguien que le gusta, puede resultar interesante saber por qué lo hace. Para empezar, como ya sabemos, el tabaco es altamente adictivo y produce una sensación de bienestar, ¡excelente combinación para que no se rompa un hábito! Cuando masticamos tabaco nos tranquilizamos y evitamos digerir lo que nos inquieta, y entonces nos volvemos adictos a crear la ilusión en nuestra mente de que todo está bien, en vez de enfrentar y resolver la situación.

Morderse las uñas

Es uno de los hábitos más "populares" que he encontrado, ya que todos, niños pequeños y adultos, se muerden las uñas. Aunque es poco agradable a la vista y a veces doloroso cuando se afecta la base de las uñas, las personas se muerden las uñas de manera compulsiva. Y aunque es muy difícil acabar con el hábito, no es imposible.

Una amiga mía, después de haber leído mi primer libro, comprendió que era una necesidad emocional la que la llevaba a morderse las uñas y se decidió a resolver algunos de los conflictos. Hecho esto, desapareció su necesidad de morder.

En un contexto primitivo, las uñas se usan como armas de ataque o defensa. Cuando nuestro hermoso gatito saca las uñas, es una señal inequívoca de que está listo para atacar y lo mejor es que nos alejemos de él, si no queremos salir rasguñados. Nuestras uñas, igual que las garras de los animales, están relacionadas con la agresión. *Sacamos las uñas* cuando estamos a punto de atacar. Hablamos de mujeres que *sacan las garras* para llegar a la cima de su empresa, lo que significa que lo hacen con determinación y agresión; o bien *le echan las garras* a un hombre. Decimos que *queremos sacarle los ojos* a alguien de quien deseamos vengarnos.

En una sociedad donde la agresión es inaceptable, se reprimen los deseos agresivos. No podemos arañarle la cara al jefe por no habernos considerado para el ascenso; sin embargo, "me arañas la espalda y yo te araño la tuya" funciona muy bien. Entonces, nos arrancamos a mordidas las armas que por instinto usaríamos para atacar. Nos desarmamos y al hacerlo interiorizamos la ira, que nos devora por dentro. Le tememos a nuestra respuesta natural e instintiva, por ello destruimos nuestras armas y *escupimos las uñas*. Debemos recordar que explotar con súbitos ataques verbales no es la manera más sana de expresar nuestra molestia, más bien es resultado de reprimirnos y eso nos conduce al polo opuesto: la dulzura cáustica, pero azucarada. Y ninguna de estas reacciones sugiere equilibrio.

Esto nos impacta más aún porque, como somos incapaces de expresarnos con honestidad, se ve afectada nuestra autoestima. Nos da miedo revelar nuestra verdadera naturaleza para no ofender, pero el temor nos carcome. Cuando nuestras emociones surgen, nos sentimos temerosos y nerviosos y creemos que a los demás les parecerá inadmisible que perdamos el control. Pregúntate lo siguiente, cuando sientes la necesidad de morder, ¿a qué o a quién deseas clavarle las uñas?

¿Por qué el rojo es el color más común en los barnices de uñas y lápices labiales? Hace poco tiempo se introdujeron colores azules, plateados y otros, pero casi siempre las mujeres se pintan de rojo las uñas de los pies, de las manos y los labios. El rojo representa la ira y la sexualidad, como por ejemplo, *rojo de ira, zona roja*. A las mujeres con uñas largas pintadas de rojo se les considera *"femme fatales"*, que atraen seductoramente a los hombres hacia su destino. Las uñas sugieren: "No te metas con nosotras, no nos da miedo recurrir a la agresión para lograr nuestros fines. No puedes pasar sobre nosotras". Los labios rojos simulan una vagina estimulada. En un mundo donde la agresión y la sexualidad son reprimidas, las muestras públicas de ambos rasgos producen temor, y a menudo son menospreciadas por mujeres a las que les da miedo enfrentar su naturaleza sexual y agresiva. ¡Simplemente no les agrada!

Los niños y los animales expresan lo que sus padres y sus dueños reprimen. Los niños que se muerden las uñas demuestran su propia naturaleza agresiva reprimida, o simplemente adoptan el comportamiento de sus padres. Es posible que los padres sean muy controladores, consigo mismos y con los niños. Por eso, cuando surgen en el niño sentimientos "inaceptables", como la sexualidad, la agresión o el deseo de controlar, la tensión se acumula y la liberan mordiéndose las uñas.

La atención de nuestra sociedad ha estado enfocada en el abuso y los niños tienen poca oportunidad de reaccionar natural y físicamente a las provocaciones. Por muchas ganas que tengan de participar en un pleito, el miedo a la reacción de los maestros y padres los limita, así que no tienen forma de enfrentar la ira que sienten y la interiorizan.

Si nuestros padres nos mienten, aprendemos a reprimir la verdad. A veces, los escuchamos decir: "Sí, mi amor", cuando lo que en realidad quieren decir es "Maldita zorra, hazlo tú" o "No, no estoy enojado o molesto", cuando lo que desean es sacarse los ojos. Si la verdad no reina en la familia y los niños oyen a sus padres decir una cosa cuando quieren decir otra, absorben la inconsistencia entre lo que oyen y lo que sienten por instinto. El resultado es que la deshonestidad y la confusión les enseña que la represión es la mejor manera de actuar cuando están enojados, y en lugar de expresar su molestia con palabras o atacar físicamente, muerden sus propias armas.

Morderse la piel alrededor de las uñas

Como ya hemos mencionado, cualquier comportamiento que tenga que ver con morder es un acto de agresión reprimida. Si nos mordemos la piel, es señal de que algo está *comiéndonos*, que preferimos digerir una situación en lugar de expresarla. Pero como lo que mordemos es la piel y no las uñas, significa que no deseamos atacar a otra persona, sino que permitimos que el problema *nos corroa*. Quizá nos cuesta trabajo *aceptar* el verdadero problema y no sabemos *cómo manejarlo*. Entonces, retrocedemos y permitimos que la culpa, provocada por los sentimientos que dejamos surgir, se apacigüe haciéndonos daño. Nos provocamos dolor con la esperanza de calmar la culpa por sentirnos como nos sentimos. Entre más tensión nos produce la situación, más se fortalecen nuestros sentimientos y con mayor intensidad nos mordemos para suprimirlos.

SUCCIONAR

Los bebés succionan para recibir la leche materna. En los casos en que la succión está involucrada, no importa que sean dulces u objetos de telas, indica la profunda necesidad de volver a conectarnos con los sentimientos de protección y seguridad que experimentamos cuando éramos bebés.

Cuando se le acabó la leche a nuestra mamá, o si estaba ausente u ocupada, nos sustituyeron el pezón con un chupón de plástico previamente humedecido en una desagradable agua azucarada. Más tarde, tal vez recurrimos a nuestro pulgar para crear la ilusión de que mamá todavía estaba cerca. Entonces, este objeto nos da tranquilidad y libera el estrés. Si como adultos no podemos resistirnos a succionar el extremo de la pluma o algún otro objeto, dejamos al descubierto un profundo deseo de tranquilizarnos y disminuir el miedo y la tensión que nos produce la situación en la que nos encontramos. Sin embargo, igual que con el chupón cuando éramos niños, es un sustituto sintético de la verdadera protección, y un doloroso recordatorio de la falta de intimidad que sentimos.

Los bebés no tienen dientes y no pueden atacar. No existen las fronteras para ellos y, cuando son muy pequeños, tienen muy pocas oportunidades y medios para tomar decisiones. La sensación de impotencia causa ansiedad e inseguridad, que son aliviadas al succionar. Cuando nos sentimos impotentes o que nuestras fronteras son invadidas y nuestra voluntad sometida, tendemos a adoptar el hábito de la succión.

Succionar aire (aerofagia)

Este comportamiento poco común se refiere a la acción de tragar aire. Cuando nos referimos a que algo desaparece, solemos decir que *desapareció en el aire*. Cuando simulamos que tragamos aire (en el caso opuesto a respirar), indicamos que estamos felices de tragar algo que en verdad no existe. Entonces, nos engañamos diciéndonos que determinada situación nos hace sentir bien y fingimos digerirla o aceptamos la culpa. Nos convertimos en charlatanes, nos llenamos de falsas expectativas, pero en realidad estamos completamente vacíos. Liberamos el gas que absorbemos de una forma agresiva y sutil cuando soltamos un pedo o eructamos, dejando una estela de mal olor. Es una reacción infantil, engañosa y agresiva pasiva a una situación ante la que nos sentimos impotentes.

ESCUPIR

Escupimos después de hacer que la flema suba para expulsarla con fuerza, una acción muy similar a la de una serpiente que escupe su veneno. Literalmente, escupimos el problema en vez de digerirlo. La pronunciación de la palabra flema se parece al de flama, de hecho la palabra deriva del griego *phlegma*, que significa "inflamación" y *phlegein*, que se traduce como "quemar". Entonces, escupimos aquello que nos *enciende* o nos molesta.

Quienes padecen sinusitis escupen grandes cantidades de flema en las mañanas porque están drenando sus senos nasales. La sinusitis indica que estamos irritados o molestos con alguien cercano o con nosotros mismos. La flema amarillenta o verdosa representa la infección o toxicidad de la situación. A veces, las cámaras de televisión captan a los deportistas escupiendo, quizá porque su adversario lo hizo mejor que ellos o tal vez porque dejaron pasar la oportunidad de anotar puntos. Escupir los libera de su necesidad de aceptar la situación y de la culpa.

RECHINAR LOS DIENTES

¿Te has levantado alguna vez con la mandíbula dolorida, o con un dolor punzante de cabeza o de oídos que desaparece en el transcurso del día, o has sentido dolor en la cara, los dientes sensibles o con las puntas de los dientes gastadas? Es muy probable que rechines los dientes por la noche. Conocido médicamente como bruxismo, es más común rechinar los dientes cuando estamos dormidos. No sólo provoca las molestias físicas que ya mencionamos, también ejerce miles de kilos de presión por pulgada cuadrada sobre la superficie de los dientes, lo que con el tiempo los desgasta y afloja, produce reducción de la encías, pérdida del esmalte, problemas en las articulaciones de la mandíbula y fracturas en los dientes. Sin embargo, es posible que rechines los dientes sin darte cuenta.

Rechinamos los dientes a causa del estrés y la ansiedad, pero también de trastornos del sueño, una mordida anormal, la pérdida o desviación de piezas. Algunos estudios también demuestran que la falta de ácido pantoténico (una vitamina contra el estrés y un elemento para el control de la actividad motriz) puede ser la causa física. Otro factor puede ser la deficiencia de calcio, que ocasiona calambres o movimientos involuntarios de los músculos de la boca que hacen que rechinemos los dientes; los parásitos son otra causa. Hace poco, se encontró evidencia que demuestra que los inhibidores selectivos de recaptura de serotonina, como el Prozac,[1] también hacen que rechinemos los dientes. Pero, como ya sabemos, todo lo que ocurre a nivel físico tiene una causa emocional. Lo sutil (ejemplo lo mental-emocional) siempre afecta lo denso (físico) y no al revés. Entonces, a pesar de todas estas causas físicas, debemos investigar qué sucede en las capas sutiles de nuestro ser.

Se ha descubierto que la gente que rechina los dientes es más propensa a morderse las uñas, el interior de las mejillas, las plumas.

Igual que las uñas, los dientes son un medio de ataque, como lo indican las frases: *pelear con dientes y uñas* y *estar armado hasta los dientes*. También se usan para moler la comida y convertirla en pedazos más digeribles, y representan las decisiones. Rechinar los dientes es una forma de debilitar nuestros instrumentos de ataque. Rechinamos los dientes por la noche como respuesta inconsciente a profundos problemas relacionados con la agresión. Estas situaciones inconscientes son la *molienda diaria*, que nos desgasta lentamente. Nos sentimos impotentes y sin confianza para atacar lo que nos molesta, así que rechinamos los dientes como un acto de agresión pasiva. Este comportamiento repetitivo indica que el problema no desaparece y continúa sin poder digerirse, a veces por años. La boca es una frontera, así que la agresión puede estar relacionada con la sensación de que nuestras fronteras han sido amenazadas, que alguien nos ha invadido o nos ha quitado algo, por lo tanto, queremos vengarnos.

Molemos la comida para facilitar su paso por el tracto digestivo, y al rechinar los dientes hacemos lo mismo con las emociones que no podemos tragar. No importa cuántas veces rechinemos los dientes, seguimos con la boca vacía, así que nuestros esfuerzos son inútiles. Nos sentimos incapaces de romper el problema en trozos comestibles, nos da miedo no encontrar la solución.

Los dientes representan decisiones porque son una frontera fuerte entre lo que permitimos que penetre en nosotros y lo que excluimos. Abriendo o cerrando los dientes decidimos cómo interactuar con el mundo, elegimos qué incluir o excluir. Tenemos problemas con los dientes cuando nos cuesta trabajo tomar decisiones o *echarle el diente* a algo.

En resumen, nos estresa y nos da miedo tomar decisiones relacionadas con situaciones que nos enojan y no podemos aceptar. Entonces, buscamos venganza.

VOMITAR Y NO COMER

(*Consulta también el Capítulo catorce para entender mejor la autoflagelación.*)

Cuando no queremos *tolerar* algo, lo expulsamos. No podemos retenerlo o aceptarlo. Puede ser una emoción, una experiencia, un aspecto de nosotros mismos, una persona que nos parece *difícil de digerir*. La situación nos *enferma*, y cuando al cuerpo le desagrada algo, lo rechaza. Sin embargo, lo que nos atañe son las razones que provocan el comportamiento de aquellas personas que se obligan a vomitar, como en el caso de los trastornos de la alimentación. Los trastornos de la alimentación afectan casi exclusivamente a las mujeres y pueden ser graves, ya que el 20% de las pacientes con anorexia nerviosa muere a causa de la enfermedad.

La anorexia y la bulimia son enfermedades emocionales muy complejas y, por lo tanto, no pueden tratarse en los párrafos de este libro. La ayuda profesional de terapeutas y médicos es esencial para la recuperación. Comer por la fuerza pocas veces ayuda y casi siempre profundiza la compulsión. Los trastornos de la alimentación surgen del deseo por lograr la perfección física, y algunas veces espiritual –glotonería contra ascetismo en un desequilibrio de emociones. El exceso es un extremo y la inanición es el otro. La culpa se lava vomitando a escondidas de los demás. Se oculta un gran deseo de llamar atención, que es disimulado con el sacrificio.

Muchas de las causas de este grito de ayuda tienen su origen en la infancia; por ejemplo, padres muy estrictos o autoritarios; roles invertidos de padres e hijos, anulación de la voluntad del niño y avergonzamiento constante. La vergüenza es la causa más grave, pues cuando nos repiten una y otra vez que no somos aceptables, impiden que desarrollemos una autoestima sana. En el caso de la vergüenza, nuestros instintos naturales son lo que más nos apenan y sentimos que debemos controlarlos. Pero los instintos naturales no pueden contenerse por siempre, y cuando surgen lo hacen de una manera imprecisa. Si restringimos nuestros hábitos alimenticios con una disciplina estricta, podemos caer en el exceso de forma incontrolable, entonces nos sentimos culpables y nos purgamos, lo que nos causa más vergüenza y el círculo vicioso continúa. Intentamos calmar la culpa martirizándonos dejando de comer.

El engaño juega un papel muy importante y, en muchos casos, los miembros de la familia no están conscientes del problema. La persona que padece anorexia o bulimia se ejercita hasta el agotamiento (aunque quién sabe cómo lo logra, pues ingiere muy poco alimento), le gusta cocinar para los demás, recurre a métodos increíbles para deshacerse de los alimentos que no se come y oculta su pérdida de peso con ropa holgada. Toma laxantes y, cuando come en público, la comida es austera, como ensaladas sin aderezo, alimentos blandos, sanos, sin grasa, etcétera. El deseo de rechazar lo que los nutre es el deseo de rechazar lo femenino en su forma redonda, abultada o húmeda. Buscan alejarse de lo físico para alcanzar la perfección. Pero ¿cómo puede ser perfecto aquello que sangra, huele y suda? La relación del enfermo con su cuerpo es tal que desean elevarse por encima de él, transmutarlo, la muerte no los atemoriza y en algunos casos es el camino a la liberación.

En cierto sentido, rechazamos lo que nos nutre porque no queremos digerir las situaciones instintivas de la vida, y sin embargo las deseamos. Éste es un hábito peligroso que requiere intervención médica y psicológica.

Notas

1. Rechinar los dientes. www.health911.com/remedies/rem_teethg.htm.

Capítulo siete

Hazme eso otra vez...

COMPORTAMIENTO SEXUAL

¿Por qué para algunos hombres una muñeca de plástico es más atractiva que una mujer de carne y hueso? ¿Por qué un poderoso directivo de una empresa acepta voluntariamente que lo golpeen y humillen? ¿Por qué los hombres disfrutan el sexo por teléfono? Travestismo, sadomasoquismo, fetichismo, exhibicionismo, llamadas telefónicas obscenas, incesto y copulación con cadáveres, los hombres llevan la delantera. ¿Por qué? (La investigación realizada por Liam Hudson y Bernadine Jacot, autores de *Cómo piensan los hombres*, afirma que el 99% de los casos de aberraciones sexuales son cometidos por hombres.)[1]

Existen muchos tipos de desviaciones sexuales, como *xenofilia*, la atracción sexual hacia los extranjeros o extraños; *plushofilia*, atracción sexual hacia los muñecos de peluche, y *harpaxofilia*, excitación sexual provocada cuando la persona es asaltada. Aunque nos concentraremos únicamente en los tipos más frecuentes de parafilia.

Debido a la actitud de muchos padres hacia el sexo debido a sus oscuros deseos reprimidos, los llamados comportamientos sexuales "diferentes" pasan de una generación a otra simplemente porque nadie habla de ellos. El sexo se convierte en un deseo vergonzoso y no en algo sano y placentero. En la mayoría de los hábitos sexuales, la vergüenza originada en la infancia es la causa más común.

Por ejemplo, imaginemos a un niño o niña que juega con su pene o su vagina nada más porque se siente bien. La mamá entra a la habitación con una amiga y, a causa de la vergüenza, le grita al niño que se detenga de inmediato. El niño se siente avergonzado por algo que era un acto exploratorio natural. A partir de ese momento, el niño, o la niña, aprende que es "malo" tocarse y tiene que hacerlo a escondidas, con el temor de ser sorprendido. Años más tarde, el deseo de jugar consigo mismo en público es alimentado por la emoción asociada con la experiencia de la niñez. No quiero decir que todos los niños sorprendidos jugando con sus órganos sexuales se vuelven exhibicionistas, pero las experiencias de la infancia son la base de lo que surgirá en nuestra vida sexual adulta. Obviamente, no está bien que dejemos que nuestros niños se masturben durante la cena, pero no debemos avergonzarlos por algo que es natural, y tenemos que tratar la situación con tacto.

Si hacemos sentir al niño que las acciones sexuales exploratorias son vergonzosas e inaceptables, las reprimirá y convertirá en hábitos sexuales oscuros, y surgirán en su vida años más tarde, como todos los deseos e impulsos reprimidos. Con tanta ignorancia y miedo que hay alrededor del más poderoso de nuestros instintos, es fácil entender por qué el sexo es fuente de tantos comportamientos oscuros.

En cierto sentido, todos tenemos perversiones sexuales, pero la mayoría restringimos estos deseos para cumplir con las normas sociales. No obstante, si elimináramos la influencia social (como William Golding lo sugiere en su novela *El señor de las moscas*) esta estructura se desmoronaría rápidamente, lo cual indica que no es que no tengamos deseos, sino que es nuestro miedo a ser excluidos lo que en realidad los restringe. Sin embargo, por razones que analizaremos más adelante, el pervertido no logra reprimir sus impulsos y, cuando se deja llevar por ellos, abre la caja de Pandora, que se cierra sólo con la ayuda de un terapeuta.

Mucha gente dice que no sueña. ¿Por qué? Porque a menudo sus sueños tienen que ver con acontecimientos sexuales salvajes, que incomodan a su mente consciente. Tomemos como ejemplo a un importante miembro de la sociedad que sueña con orgías sexuales en las que se usan látigos y trajes de cuero. Los sueños lo alteran y confunden, así que la mejor solución para el dilema es encerrarlos en el inconsciente.

La satisfacción sexual atípica y extrema se conoce con el nombre general de *parafilia*, y puede estar relacionada con objetos (fetichismo), con un acto en particular (sadomasoquismo), o con un tipo de persona o animal (como un niño, en el caso de la paidofilia). Una vez que la fijación se arraiga, es difícil que cambie y, a menudo, la satisfacción sólo se logra usando o fantaseando con el objeto, acto o persona.

Los actos más comunes de parafilia son: paidofilia, exhibicionismo (la exposición de los genitales a desconocidos), voyeurismo (observar secretamente a otros teniendo relaciones sexuales, orinado, etcétera), frotación (el individuo en cuestión frota su pene contra las personas sin su consentimiento, algo muy común en los lugares abarrotados) y llamadas telefónicas sexuales. El fetichismo, el sadomasoquismo (ser humillado y soportar el dolor físico), el travestismo, la necrofilia (sexo con cadáveres), la bestialidad o tener relaciones sexuales con animales, las actividades que tienen que ver con la eliminación de orina o heces fecales, son frecuentes. Por desgracia, la paidofilia es la forma más común de parafilia. En gran parte, esta acción es impuesta a la fuerza a otra persona y amenaza su libre albedrío, sobre todo en el caso de los niños, por eso es ilegal y ***extremadamente perjudicial para la psique de la víctima.*** Se requiere la ayuda e intervención de terapeutas especializados, para evitar que la vida de los demás se vea afectada de manera irrevocable.

Cuando las fronteras de las víctimas han sido violadas y no reciben ayuda, pueden convertirse en presa de futuras violaciones, lo que más tarde provocará estragos en relaciones en las que la confianza y la intimidad son esenciales. El dolor y el placer producen confusión a las víctimas de abuso sexual, se avergüenzan porque sienten placer y, como están lastimadas emocionalmente, restringen el placer físico para evitar que surjan los recuerdos dolorosos.

Antes de hundirnos en la culpa, cabe mencionar que hay una gran diferencia entre parafilia y alguien que, de vez en cuando, disfruta de sexo por teléfono con su pareja, o que le pide que se vista de enfermera o que vean una película pornográfica, pues estas acciones no son las únicas que les producen excitación sexual y los hacen llegar al orgasmo, mientras que el caso de la parafilia lo logran sólo con la acción determinada. En otras palabras, cuando se trata parafilia el comportamiento es compulsivo o ha creado una dependencia.

Existen muchas teorías con respecto al desarrollo de este tipo de comportamientos. Tal vez una de las razones más comunes es la incapacidad para tener relaciones con una sola persona. Al carecer de esta intimidad, el parafílico se refugia en un mundo de fantasía, volviendo a comportamientos o condicionamientos sexuales de la infancia. Entonces, a menudo, el parafílico empieza a preferir ese comportamiento, o lo encuentra más estimulante que el sexo convencional. Los niños que observan o son víctimas de la parafilia, imitan lo que experimentan. Años más tarde, cuando necesitan satisfacción sexual, puede resultar menos amenazador y más excitante recurrir a lo que conocen para satisfacer su deseo sexual, pero a menudo es socialmente inaceptable.

Gran parte de esta perversión social la heredamos de la era Victoriana en la que, a pesar de que Inglaterra tenía la población más grande de prostitutas, eran regidos por una estricta y perversa doctrina moral. La prostitución infantil era altamente apreciada por muchos de los miembros más importantes de una sociedad que se había vuelto totalmente desequilibrada. Tomemos como ejemplo la curiosa práctica del Dr. Kellogg, que promovía la práctica de coser con alambre el prepucio de los niños para evitar que tuvieran erecciones. Esta aberración era muy común y gran parte de las actividades perversas que abundan en la actualidad, tiene su origen en esa época.

¡Para el resto de los mortales, el sexo convencional es lo normal!

A continuación, explicaremos a profundidad algunas de las parafilias más frecuentes.

SEXO ANAL

Es un comportamiento sexual bastante frecuente. Puede practicarse oralmente, con la mano o a través de la penetración, como la forma principal de la relación sexual o como complemento de otros comportamientos sexuales. Por lo general, el sexo anal está considerado dentro del dominio de los homosexuales, pero muchas parejas heterosexuales también lo disfrutan. A algunos hombres les gusta el sexo anal porque estimula la próstata, lo que produce mayor placer cuando se experimenta el orgasmo.

Cuando somos bebés, conocemos la sensualidad-sexualidad primero a través de la boca y luego del ano. Cuando crecemos, dejamos el ano y extendemos la exploración hacia las zonas erógenas. Sin embargo, hasta cierto punto, a todos nos quedan residuos del deseo anal. Cuando ves a un hombre o a una mujer atractivos, ¿qué es lo primero que miras? Su trasero. ¿Por qué? Porque son el camino al ano. Igual que los labios de la boca o de la vagina, su voluptuosidad aumenta el deseo de explorarlos.

Como el ano fue diseñado para expulsar y no para introducir, el músculo del esfínter anal se contrae cuando es estimulado y por eso el acto puede ser doloroso, a menos que la pareja estimule pacientemente a su compañero(a).

La experiencia espiritual más elevada es la del éxtasis divino, la desaparición del ego y la dichosa comprensión de la identidad trascendente. Cuando nos fundimos con el otro es el reflejo de nuestro deseo de volvernos uno con Dios, una *unión mística.* Sin embargo, en la mayoría de los casos, es un acto en el que nuestras dos polaridades (fuego y agua) buscan el equilibrio. Según el sistema oriental de los chakras, el sexo reside en el segundo chakra, que también es el centro del dinero, los límites, el control, las emociones, la manipulación, las relaciones y el deseo de lograr el poder exterior, y todo esto es muy importante en la actividad sexual.

Igual que el sexo convencional, en el sexo anal todo lo anterior entra en juego. Para una persona puede ser un acto de entrega, mientras que otra refuerza o experimenta la dominación. Por lo tanto, es posible que los individuos que disfrutan ejerciendo la penetración en el sexo anal, lo hagan para experimentar el control sobre la otra persona. (Los guerreros primitivos violaban a sus víctimas no por lujuria, sino para humillar a los enemigos.) Aquellos que la reciben, quizá gozan el acto de entrega y la fuerza paradójica que se siente al ser controlado, y, al mismo tiempo, por el deseo de controlar al penetrador.

TRAVESTISMO

Si no estás familiarizado con el término, travestismo se refiere a los hombres que se visten con ropa de mujer. No son transexuales, que se sienten como mujeres atrapadas en el cuerpo de un hombre, ni tampoco *drag queens*, que se visten como mujeres para entretener y resaltar los defectos de los estereotipos de la sociedad, o para atraer compañeros del mismo sexo.

La mayoría de los travestidos son hombres comunes y corrientes que simplemente disfrutan la experiencia de explorar su naturaleza femenina. El travestimo no entra en ningún estereotipo racial, religioso o económico. La mayoría son heterosexuales y muchos están, o estuvieron, casados. Se calcula que conforman un 5% de la población masculina,[2] lo que quiere decir uno de cada 20 hombres que conocemos. Sin embargo, son rechazados por la sociedad y a menudo tienen que llevar una doble vida, de la cual ni siquiera sus parejas están al tanto. También *existen* mujeres travestidas, pero como es aceptado que las mujeres usen ropa masculina, como jeans, pasan inadvertidas por la sociedad, cosa que no sucede con un hombre que viste una minifalda. Debido a que la sociedad no tolera aquello que no se ajusta a los estereotipos, la mayoría de los travestidos viven con el miedo de que su secreto se descubra, pues si eso sucede, perderían su trabajo, su familia, sus amigos y su pareja.

Eliminar este comportamiento a causa del miedo o la culpa, no funciona, ya que es como si el hombre negara la expresión de un aspecto importante de su ser. Decirle a la pareja puede ser muy traumático, porque al hacerlo queda expuesta la parte más vulnerable de uno mismo. No obstante, se siente un gran alivio cuando nuestra pareja nos acepta, además de que se establece un nuevo nivel de comunicación honesta. Ocultar constantemente un secreto a nuestra pareja, no es la forma ideal de llevar una relación, si lo que se pretende lograr es una verdadera intimidad e integridad. Desde el punto de vista de la pareja, cuando el individuo entiende que su compañero no lo abandonará, aprende a aceptar y apreciar la relación.

Cada persona decide cuándo es el momento adecuado para compartir la situación con su pareja, basándose en la percepción que tenga de ella. Entre más tiempo tarda un travestido en decírselo a su compañera, más negativa será la reacción de ésta. Tal vez la intervención de un consejero especializado le ayudará a explicarle la situación a la pareja, así como a responder otras preguntas.

Como sucede con casi todos los hábitos, el aumento de estrés exacerba la necesidad de travestirse. Es importante que la pareja del travestido comprenda que ninguna coerción o amenaza logrará acabar con el hábito en el largo plazo, aunque el travestido desee cambiar. En muchos casos, con el paso del tiempo el deseo supera la intención de ponerle fin, es como pedirle a una mujer que deje de comprar. De igual forma, no puedes obligar a tu pareja a aceptar tu rol de travestido, mejor dale tiempo para que se adapte a este nuevo aspecto de tu persona. A veces, la pareja se siente culpable por el travestismo, pues cree que no es mujer suficiente para conservar la ilusión de lo que debe ser una relación.

Una vez planteada la situación, es necesario hablar de límites, en términos de lo que es o no aceptable. A quién más hay que decírselo, si la pareja está preparada para participar en las actividades, etcétera, todo debe establecerse de mutuo acuerdo.

Somos criaturas sexuales, por eso es natural que a muchos travestidos la experiencia les resulte sexualmente estimulante. Pero no importa que la excitación sexual y el orgasmo sean o no parte de la experiencia, el deseo de vestir ropa de mujer es muy fuerte, pues sin él, el travestido siente la misma angustia que un pintor que no tiene pintura.

Para satisfacer su hábito, el travestido gasta mucho dinero en ropa, maquillaje y accesorios, y eso puede afectar el presupuesto familiar. Pero, como sucede con los hábitos que no son controlados, esto puede volverse tan apasionante que descuida los compromisos que tiene con la familia y el trabajo.

En muchos casos, el travestismo conlleva cierto grado de vergüenza y culpabilidad, lo que nos impide alcanzar un alto nivel de autoestima. En consecuencia, sentimos que no somos dignos de ser amados, lo que afecta el tipo de relaciones que escogemos. La soledad también es un factor, pues el travestido a veces siente que es la única persona en el mundo que tiene este hábito. Una sociedad que desconoce la naturaleza del travestismo considera que los travestidos son homosexuales, pervertidos o enfermos mentales. El miedo a ser descubierto por un miembro de la familia y ser rechazado, es una sombra constante que se cierne sobre los travestidos.

Como lo mencionamos antes, todos tenemos elementos fuego y agua, o aspectos masculino y femenino. Cuando a un hombre, generalmente a través de su educación, se le obliga a negar o eliminar su naturaleza femenina, se inclina hacia su lado oscuro, u oculta lo que siente, transformándose en mujer. A pesar de la necesaria naturaleza clandestina de su secreto y el miedo a ser descubierto, vestirse de mujer lo relaja y le brinda una mayor sensación de integración.

En muchos casos, el joven que se vuelve travestido ha sido avergonzado por mostrar tendencias que sus amigos y familia consideran femeninas, y entonces las reprime para evitar más humillaciones. Se convierte en un hombre normal que se deja llevar por los buenos y los malos momentos del matrimonio-relaciones y carrera. No obstante, su lado no explorado le suplica que lo haga, pero ¿cuál es el precio a pagar? La confusión que le produce su sexualidad, combinada con el fuerte deseo de reintegrar su aspecto masculino con el femenino, que es sano y natural. Pero siente que su forma de hacerlo no es natural y se apoderan de él la culpa y el miedo a ser descubierto.

Tal vez heredó la perspectiva machista e idealizada de cómo debe comportarse un hombre, lo que hace que sus deseos se vuelvan más confusos, restringidos y tenebrosos. Durante años se debate entre su necesidad de travestirse y la culpa que le dice que no lo haga. Esto consume su autoestima y se siente atrapado entre la necesidad de ser aceptado por la sociedad y la de satisfacer sus deseos.

En una sociedad ideal, debe permitirse que el travestido explore sus deseos abiertamente y sin prejuicios, hasta que la combinación de su lado masculino y el nuevo y recién adquirido lado femenino conformen una personalidad más madura e integrada.

Lo bueno de descubrir que tu pareja es un travestido es que encuentras un estupendo compañero para ir de compras. Y después puedes tener maravillosas relaciones sexuales, lo que no sucede cuando vas con tus amigas. Lo malo es que tu hombre puede terminar mejor vestido y verse más sexy que tú.

EXHIBICIONISMO

Cuando asistía a una escuela sólo para niñas, teníamos un exhibicionista al que llamábamos Agitador. Agitador (aunque sospecho que había varios hombres interpretando este papel) llegaba y se colocaba contra la cerca metálica de las canchas de tenis y procedía a enseñar su *mercancía* a los grupos de chicas alborotadas, las cuales se alejaban gritando con fuerza. Y eso era precisamente lo que deseaba Agitador porque él, igual que muchos otros hombres, se excita impresionando a sus víctimas. Literalmente "se prenden" cuando toman a alguien por sorpresa, cosa que sin duda les ayuda a liberar la tensión. El estrés aumenta el deseo y la tensión se acumula hasta que vuelven a exponerse.

En el caso de Agitador, debido quizá a la distancia que lo separaba de nosotras y al poder derivado de andar en grupo, no nos causó un gran daño psicológico, pero los exhibicionistas pueden provocar serios daños a sus desprevenidas víctimas, sobre todo si éstas son niños y/o si se masturban.

Pocos exhibicionistas violan,[3] aunque algunos violadores son exhibicionistas. En la mayoría de los casos no hay un contacto sexual, sin embargo es un delito grave que lleva al delincuente a la cárcel. Los jóvenes menores de 18 pueden ser exhibicionistas y continuar con el comportamiento hasta la edad adulta.

Las mujeres exhibicionistas son afortunadas, pues casi todos los hombres disfrutan de la fugaz imagen de una mujer desnuda y es posible no reporten el hecho. Me atrevería a decir que muchas buscan empleos más convencionales, por ejemplo en bares de desnudistas, aunque no es verdad que todas las bailarinas exóticas sean exhibicionistas.

A menudo, la reacción de sorpresa de la víctima no sólo produce excitación sexual, también reafirma la masculinidad del exhibicionista. (Claro que hoy en día puedes ir a la galería Tate Modern, en el Reino Unido, exponerte en nombre del arte *y* ganar dinero con ello.)

Lo recomendable es buscar un tratamiento en las primeras fases, antes que la persona se meta en un problema grave. Se emplean diferentes técnicas, desde estímulos negativos ("terapia de vergüenza"), cuyo objetivo es simplemente avergonzar al agresor para que deje de hacerlo, y la compasiva técnica de reestructurar las distorsiones del pensamiento (como la creencia de que la víctima debe observar la exposición) y crear empatía hacia la víctima.

FETICHISMO

La palabra "fetish" viene del latín *facticius* que significa "hecho por el arte", como manu*fac*tura, o hecho por el hombre. Hay otras palabras relacionadas con *facticius* como *facio*, de la cual derivan palabras relacionadas con los ídolos y la idolatría, y *facturari* ("embrujar"), que se utilizan en el contexto de la brujería. En el siglo XVI, los marinos portugueses descubrieron en la costa oeste de África que los nativos usaban objetos de adoración, a los que llamaron *fetiço*.[4] A partir de entonces y con el paso de los años, el significado se diversificó hasta ser relacionado con cualquier objeto usado como instrumento de adoración o que contiene un espíritu. Esto está íntimamente relacionado con lo sobrenatural y puede hacerse con cualquier variedad de hierbas, tela, piedras, huesos, madera, etcétera. El vudú y la santería son ejemplos de fetichismo africano que llegó a suelo americano, supuestamente en la época de la trata de esclavos. Aquí adquirieron un significado más siniestro, ya que los sacrificios humanos eran frecuentes hasta finales del siglo XIX.

Sigmud Freud[5] fue el primero en definir el fetichismo sexual, aunque el acto ha existido durante siglos. El término proviene del concepto que, como en el caso fetichismo religioso, un objeto tiene poderes sobrenaturales sobre el participante, sólo que el poder es de tipo sexual. Su teoría dice que cuando el niño se da cuenta por primera vez que su madre no tiene pene y aleja su mirada de ella, el primer objeto en el que se enfoca se convierte en el objeto fetichista. Pero el hecho de que las mujeres también muestran tendencias fetichistas, invalida esta teoría.

Los objetos fetichistas no tienen límites y literalmente pueden ser cualquier cosa, aunque entre los más populares están zapatos, botas, calcetines, pantalones, cabello, lycra, animales peludos, látex, dedos de los pies, piernas, sujetadores, negligés, guantes, hule, piel o seda. A menudo, se utilizan estos objetos, no tanto para recordar a su dueño anterior, sino por el objeto en sí. Los artículos portan la *esencia*, o vibración, de las experiencias pasadas y eso es lo que los hace tan atractivos. No importa que el objeto pertenezca a alguien cercano, pues sexualmente hablando al objeto se le quitan las referencias personales. A los ojos del fetichista, el artículo desarrolla su propia naturaleza emocional, igual que una muñeca vudú ante los ojos del que practica vudú. Con el tiempo, el objeto adquiere más poder debido a la cantidad de energía que se deposita en él, como sucede con la energía que hay en el cristal o piedra preciosa de un sanador holístico, o como en el caso de un talismán que se crea para un propósito específico.

Existen dos tipos principales de fetichismo: el *fetichismo de la forma*, en el que la forma es importante, y el *fetichismo del material*, donde lo importante es de qué está hecho el objeto, más que el objeto *en sí*. El fetichista decide si colecciona el tipo de objeto seleccionado, e incluso se lo roba para mejorarlo.

Lo que el fetichista desea es masturbarse o mejorar la actividad sexual con el objeto. A menudo, alcanza el orgasmo sólo si el objeto es parte de la experiencia, o si fantasea con él durante el acto, o si es usado por la pareja. Por ejemplo, le pide a su pareja que se ponga botas, o que acaricie sus genitales con un trozo de seda. En general, los fetichistas no son peligrosos y realizan sus actividades en privado. Su deseo por el fetiche puede variar de un interés ocasional (lo que es común) a un comportamiento compulsivo, que puede ser problemático.

Cuando un niño debe abandonar la intimidad de su relación materna, pierde su fuente original de nutrición y consuelo. Si se resiste al proceso, no acepta completamente su hombría, pero si no se resiste es privado de su relación más íntima y cercana. Este trauma se presenta con un sentimiento de pérdida, soledad, ansiedad y falta de intimidad. Los niños más estables emocionalmente son capaces de enfrentar esta experiencia, pero en algunos casos, el niño es retirado, pierde su autoestima o la habilidad para relacionarse con sus compañeros (sobre todo si ha tenido un acercamiento traumático con el sexo), considera esta etapa muy traumática y en el fetichismo encuentra la respuesta a su demandante apetito sexual. A los 14 años, no cuenta con el suficiente desarrollo emocional para tener una relación íntima con una joven, y como se siente segregado, confunde con más facilidad a la gente con los objetos y viceversa.

Los objetos son menos amenazadores, no lo rechazan y por lo tanto es más fácil relacionarse con ellos, pues los controla completamente, sensación opuesta a la incapacidad de ejercer control sobre otra persona. Lo impersonal es más sencillo que lo personal. En lo referente a las relaciones, los estudios muestran que los fetichistas carecen de habilidades sociales y les cuesta trabajo establecer relaciones íntimas. Privados del contacto sexual normal, los fetichistas se vuelven cada vez más dependientes del objeto para obtener satisfacción y se alejan de la intimidad. Entonces, crean un personaje con base en el objeto, dándole fuerza emocional y quitándole las referencias personales a la gente.

PEDOFILIA

La palabra "pedofilia" viene de las palabras griegas *pais* (*paid*), que significa "niño", y *philos*, que quiere decir "amoroso".

Uno de los aspectos distintivos de los pedófilos (la mayoría son hombres)[6] es la negación total de sus actividades y la falsa creencia de que sus acciones son, de cierta forma, en beneficio de los niños que molestan. Aunque los atrapen, los enjuicien y los declaren culpables, gritarán su inocencia, salvo en unos cuantos casos. A diferencia de otras formas de parafilia o perversiones sexuales, el pedófilo siempre permanece en completa negación. No aceptar la responsabilidad de sus actos significa que, a menos que lo atrapen, rara vez aceptará que tiene un problema y buscará ayuda. El tratamiento también es complicado, dado que el pedófilo no acepta que tiene un problema y por tanto considera que no requiere tratamiento.

Personalmente, fui testigo de esto en varias ocasiones, cuando daba terapia a pedófilos a través de un servicio telefónico. Su razonamiento es erróneo (dicen cosas como: "se vistió provocativamente porque quería tener sexo conmigo") cuando se refieren a un menor, o creen que la víctima se merecía lo sucedido y deseaba participar en el acto. Un joven, que era entrenador deportivo, llevó a un grupo de niños a un torneo en el extranjero, y allí abusó de ellos. Aunque fue enfrentado por un buen número de testigos que presenciaron sus acciones, y también algunas de las víctimas, se rehusó a reconocer lo que hizo.

Por eso enfrentar a un pedófilo que te molestó cuando eras niño, puede ser muy frustrante y causar más dolor. En vez de decir: "lo siento, lo que hice estuvo mal", casi todos los pedófilos niegan los hechos y pueden provocarte más daño porque quizá logren que otros miembros de la familia les crean a ellos y no a ti. Ese fue el caso de un joven que regresó a enfrentar a un sacerdote católico que abusó de él durante varios años cuando era niño. El sacerdote no reconoció lo que había hecho y a causa de la confusión, la ira y el dolor, el joven se suicidó quemándose. En su nota de suicidio dejó dicho que sentía que el fuego era la única forma de purificarse y transformarse a sí mismo y a su destrozado pasado.

La pedofilia es la más común de las desviaciones sexuales, con un resultado de 20% de los niños estadounidenses abusados.[7] El estereotipo del pedófilo es un hombre viejo y sucio o un sacerdote católico, sin embargo hay pedófilos en todas las religiones, todas las razas, con diferentes ocupaciones, sobre todo aquellas en las que hay niños involucrados. Pero todos tienen una cosa en común, el deseo de la satisfacción sexual y la atracción sexual por los niños.

Como en el caso del entrenador que mencioné antes, a menudo los pedófilos parecen responsables, dignos de confianza, bien educados, miembros importantes de su comunidad, con fuertes creencias morales o religiosas. Sin embargo, esto sólo oculta a un personaje oscuro y manipulador que se siente más seguro en compañía de niños, a quienes considera menos amenazadores que su relación con los adultos.

Tal vez se case y tenga hijos, o se case con alguien con hijos, pero por lo general lo hace para encubrir sus deseos secretos. La disfunción sexual en el matrimonio es frecuente, y prefiere a niños o niñas preadolescentes, o ambos. Casi siempre elige niños solos, angustiados, que necesitan protección. Poco a poco satisface esta necesidad dándoles tiempo, juguetes, dulces, dinero, etc. Con esto, se gana la confianza y la amistad del niño, así éste no se da cuenta de que los abrazos son más frecuentes, ni que las caricias empiezan a adquirir un tono más sexual. Algunos pedófilos se satisfacen simplemente observando cómo se desviste el niño, mientras que otros requieren estimulación física. Los pedófilos se sienten atraídos hacia empleos en los que tienen acceso directo a los niños, desde disfrazarse de Santa Claus en el centro comercial hasta ser guías de scouts; se inventarán funciones para interactuar con los niños. También tienen muchos juguetes y juegos en su casa, aunque no tenga hijos.

Con mucha frecuencia, los niños no revelan la naturaleza de su relación con un pedófilo porque temen a la reacción de la familia, la pérdida de los regalos, la relación que les brinda atención y, en algunos casos, porque han sido amenazados para que guarden silencio ("Si le dices a alguien, te quito a tu mascota, te lastimo o le hago daño a tu familia").

No existe una fórmula establecida que lleve a alguien a convertirse en pedófilo. Algunos sufrieron abuso sexual cuando eran niños y repiten este patrón de comportamiento sexual, ya sea como venganza por lo que les hicieron y/o porque los niños son una válvula de escape para la expresión sexual cuando el pedófilo se siente inseguro en una relación normal. (Es más fácil ejercer poder y control sobre un niño que sobre un adulto, y puede ser una forma de revivir el trauma que el pedófilo vivió en su niñez.)

De aquí se desprende la teoría de que la pedofilia es de origen genético; sin embargo, es muy probable que el niño que sufre abusos se convierta en el abusador, en un intento por equilibrar internamente su personalidad. Él desconfía, el niño confía; él niega, el niño acepta; él se refugia en su lado oscuro, el niño aspira a la luz; él fue víctima, el niño es un instrumento que fácilmente lo convertirá en vencedor; él vive escondido y en secreto, el niño es libre. En lugar de sanar a su niño herido, el pedófilo toma el camino más cobarde y lastima a otros.

Los desórdenes de la conducta (como abuso, peleas, prender fuego y robar), así como intimidad inapropiada, mojar la cama (que no se deba a problemas médicos) después de los cinco años, y crueldad hacia los animales, son características que incrementan la posibilidad de que un niño se vuelva pedófilo en el transcurso de su vida. Cabe señalar que no todos los niños que presentan estos problemas se vuelven pedófilos; sin embargo una de estas características, o todas, aparecen en la historia infantil de la mayoría de los pedófilos.

Intimidad significa volvernos vulnerables ante otra persona y compartir nuestro ser interior con ella, al hacerlo disolvemos al yo o ego. La palabra "intimidad" suena a "mi interior". El pedófilo le teme, y en muchos casos es incapaz de lograr, a la verdadera intimidad. No desea que conozcan su verdadera naturaleza. Sin embargo todos anhelamos tener intimidad y lo más cerca que un pedófilo puede llegar a ella sin sentirse vulnerable es con un niño porque, a diferencia de los adultos, no amenazan con ver más allá de su máscara.

Igual que los alcohólicos, los pedófilos reciben tratamiento, pero rara vez se curan, ni con tratamientos de condicionamiento, ni con reductores de hormonas sexuales masculinas, ni con asociación de situaciones negativas con actos de pedofilia, ni con terapias diseñadas para eliminar el pensamiento erróneo de que la víctima merece ser tratada de determinada forma. El deseo de cometer el acto permanece de manera inevitable, aunque es interesante que los hombres que eligen niños continúan con su conducta a pesar del tratamiento, a diferencia de aquellos que prefieren a las niñas (Morrison, 1995).

Por lo general, las mujeres pedófilas comenten un delito si su pareja también es pedófilo, aunque no es una regla general. En la mayoría de los casos, ellas sufrieron abusos y fueron agredidas sexualmente en la infancia.

SADOMASOQUISMO

Teresa Berkeley era hábil practicante del arte del sadomasoquismo y conservaba una buena cantidad de ortiga y acebo, correas de varias formas y longitudes, látigos, varas y muchas otras herramientas para su oficio en su casa de Portland. Pero esto no era nada en comparación con su gran invento de 1828: el potro de Berkeley. Básicamente era una escalera ajustable, recubierta con un suave material protector, y el cliente era atado en un lado y del otro sobresalían su cara y genitales. La "gobernanta" le golpeaba las nalgas con el látigo, mientras una asistente con muy poca ropa masajeaba su pene. La idea resultó tan popular, que las ventas del potro le brindaron a la señora Berkeley una pequeña fortuna.

La palabra "sadomasoquismo" es producto de la mezcla de los nombres del Marqués de Sade y del caballero Leopold von Sacher-Masoch. Fue Freud quien unió ambos nombres para formar la palabra sadomasoquismo. El sadismo es el placer sexual que se obtiene de la crueldad y castigo infligido a otros, y el masoquismo es lo opuesto, el deseo de sentir dolor para lograr satisfacción sexual. Un sádico, sin ser masoquista, produce demasiado daño físico y psicológico, mientras que el sadomasoquista sigue ciertas reglas según las cuales puedes lastimar pero no producir un daño permanente.

El sadomasoquismo explora las profundidades de la relación entre erotismo y poder. *Femdom* (dominación femenina) es el sadomasoquismo ejercido por mujeres. Por lo general, es el hombre quien tiene los puestos de poder en el mundo, pero disfrutan cuando dicho poder se les retira. Es la paradoja del poder que desea explorar la impotencia y obtener placer erótico al hacerlo.

Una de cada diez personas que lean este libro habrá experimentado el sadomasoquismo de alguna forma. (Tan aceptado es el sadomasoquismo, que en 1980 la Asociación de Psiquiatras de Estados Unidos lo eliminó de su Manual de Diagnóstico y Estadísticas de Trastornos Mentales.)[8] Es una práctica popular entre personas cultas, de niveles socioeconómicos medios o altos.

Recibir nalgadas o latigazos, vendarse los ojos, usar ropa sugerente, ser humillado porque es obligado a defecar u orinar, son algunos de los métodos utilizados en el sadomasoquismo, en tanto que los masoquistas abusan de sí mismos mediante electrochoques o la autoflagelación. Asfixiarse a uno mismo para tener un orgasmo más placentero, es otro método utilizado por quienes practican el sadomasoquismo.

Comúnmente, los comportamientos relacionados con el masoquismo sexual, de alguna manera se practican durante la adolescencia e incluso pueden haber iniciado en la infancia en forma de peleas, humillaciones y obtención de placer causando sufrimiento a otros. Bien puede ser el resultado de abuso y trauma infantil, y la víctima se convierte en el perpetrador cuando es adulto para vengar el pasado. Él o ella quizá se sintieron incapaces de superar un comportamiento sádico y, repitiéndolo, desean sobreponerse a la ansiedad, ira y humillación reprimidas. Pretenden borrar la personalidad de sus experiencias quitándole la personalidad a la víctima.

El hombre de negocios actual, con personalidad tipo A (que necesitan conservar constantemente una imagen masculina, dominante, controladora, exitosa y capaz), se permite explorar el rol opuesto de la sumisión femenina para reducir el estrés y experimentar una liberación casi catártica. Paradójicamente, para sentirse libre o fuera de control, necesita ser limitado y controlado. Experimentar lo que uno teme y trata de evitar (por ejemplo sentirse débil) nos da poder. Es una forma de despojarse del ser que creamos y de encontrar la paz renunciando al control. El dolor también es un medio para olvidar las preocupaciones, como fechas de entrega, problemas en el trabajo, etcétera. El dolor nos hace vivir el momento. A ver, quémate la mano por accidente y al mismo tiempo trata de preocuparte por las bajas cifras de venta.

Entonces, del sadomasoquismo puede decirse que es un desequilibrio de poder que causa estrés, y que sólo se libera experimentando lo opuesto. Para un niño que aprende a avergonzarse de su cuerpo, ser dominado puede convertirse en una manera de explorar su sexualidad, sin sentir que da su consentimiento para ello. No tener el control le permitirá expresar su sexualidad completamente y no tendrá que superar los sentimientos de culpa y vergüenza que le producen las actividades sexuales "normales".

VOYEURISMO (ESCOPOFILIA)

El voyeur se excita sexualmente viendo a otros tener sexo, desvistiéndose, etc. Puede fantasear que hace dichos actos o hacerlos. El cine, la televisión, los videos y las videocámaras son herramientas básicas y aceptables del voyeurismo. Vemos a los actores tomando una ducha, desvistiéndose, haciendo el amor o masturbándose, todo desde la comodidad de nuestra casa. Las películas pornográficas son una forma voyeurista de incurrir en el acto sexual sin tener que intimar. Observas la experiencia y las emociones, pero no eres parte de ellas. Ver películas pornográficas o una buena película no te convierte en un voyeur en el sentido tradicional y parafiliaco de la palabra. (Recuerdo que hace muchos años un amigo recortó y mandó el anuncio de una película azul –otro término para designar a una película pornográfica– que salió en el periódico local, y recibió un video en el que la pantalla de la película era azul.)

El sexo, en su forma física y emocional (opuesto a lo espiritual), como ya se mencionó, tiene mucho que ver con el poder y el control. En el voyeurismo, el voyeur se encuentra en una posición de poder y control, y no arriesga ningún aspecto de sí mismo. Observa y aprovecha la situación sin dar nada de él. Es placer gratuito. Es una forma de mirar la vulnerabilidad de los demás sin tener que mostrar su yo interior. Quizá cuando era niño se vio obligado a reprimir su sexualidad y no podía expresarse emocionalmente. Observar a los demás es vivir la experiencia sin arriesgarse a perder el control.

Hasta cierto punto, todos somos voyeurs. ¿Has presenciado un accidente en la carretera sin que la gente se arremoline o se asome por la ventanilla para ver mejor? Las cámaras web que se colocan en los espacios privados de la gente, a menudo sin el consentimiento de quienes serán grabados, explotan este aspecto y permiten que los demás ganen dinero a costa de nuestra frágil naturaleza. Obviamente, el deseo es obtener poder hasta el punto de no vernos amenazados por la intimidad. En este nivel de crecimiento interior, disminuye el deseo de buscar imágenes que no sean amenazadoras en el mundo íntimo de los demás, pues lo que queremos es experimentarlas por nosotros mismos.

Notas

1. Hudson, Liam y Jacot, Bernadine, *The Way Men Think*, Yale University Press, Yale, 1992.
2. ¿Conoces a algún travestido? www.tri-ess.org.
3. Exhibicionismo: *Psicología de Hoy* cms.pshychologytoday.com/conditions/exhibitionism.html.
4. Fetichismo: Enciclopedia Católica www.newadvent.org/cathern/06052b.htm.
5. Como Freud lo describió en 1887, el fetichismo sexual en los hombres es el resultado de un trauma en la infancia relacionado con fuerte ansiedad. www.jahsomic.com/SexualFetich.htm.
6. Paidofilia: www.mental-health-matters. com, y *Psicología de Hoy* cms.pshychologytoday.com/conditions/pedophilia.html.
7. cms.pshychologytoday.com/conditions/pedophilia.html.
8. Asociación Siquiátrica de Estados Unidos: 1000 Wilson Boulevard, Suite 1825, Arlington, VA 22209-3901. Teléfono: 703-907-7300, correo electrónico: apa@psych.org ref: eliminación del sadomasoquismo de sus diagnósticos y Manuales de Estadísticas de Trastornos Mentales en 1980.

Capítulo ocho

Cosas que hacemos cuando envejecemos

HÁBITOS DE LAS PERSONAS MAYORES

Dicen que se necesita valor para envejecer. Además del deterioro del cuerpo físico, están los achaques, los dolores, la pérdida de la fuerza y, a veces, de la memoria a corto plazo. ¿Con cuánta frecuencia usamos la palabra "exhausto"? Cuando somos bebés tenemos una extraordinaria cantidad de energía. Observa a un niño pequeño y trata de imitar sus movimientos cuando patea, jala, explora, gatea y demás. Los niños también tienen una gran cantidad de energía, simplemente no pueden estarse quietos, por eso, como padre, es agotador tratar de seguirle el paso a nuestro hijo de seis años. Sin embargo, conforme envejecemos parece que tenemos menos energía, y lo que hace diez años parecía una tarea sencilla, ahora nos demanda un gran esfuerzo.

Adoro practicar windsurf, pero con el paso de los años, parece que las olas son más grandes, mi traje de baño más estrecho y el viento más fuerte. La verdad es que las cosas no han cambiado, nada más lo parece. Pero el esfuerzo requerido para manejar hacia la playa, instalar el equipo, etcétera, es mayor cada año y, aunque en algún momento nada me sacaba del agua, ahora busco cualquier excusa para salirme.

Pero los deportes no son los únicos que nos hacen notar la edad, también lo hacen la pérdida de la memoria, de la confianza, tenemos menos energía, nos enfriamos con más facilidad, luchamos para adaptarnos a la nueva tecnología, necesitamos más "siestas para recuperar fuerzas", y a menudo perdemos la libido.

En este capítulo analizaremos algunos de los hábitos que se cuelan en nuestra rutina conforme envejecemos, y cuál podría ser el simbolismo emocional de cada uno. Sin embargo, el tema principal es la retirada, porque parece que integrarnos al mundo, tan diferente a aquel en el que nacimos, se vuelve cada vez más difícil y poco a poco desconectamos los sentidos.

MALA MEMORIA

"Gracias por los recuerdos..." dice la canción, sólo que con los años no siempre nos acordamos de los recuerdos. Recordamos el nombre del primer oso de peluche que tuvimos, pero olvidamos por completo la cita con el dentista y lastimamos a nuestros hijos confundiendo sus nombres (y sólo tenemos dos). Esto se llama amnesia anterógrada, que es cuando recordamos cosas de nuestra infancia pero nos cuesta trabajo recordar los sucesos del día a día.

Sabemos que la gente que vivió situaciones traumáticas en la niñez, tiende a olvidarlas, hasta el punto de borrarlas por completo. El abuso sexual entra en esta categoría, igual que los traumas de guerra, etcétera. Es como si la mente nos protegiera para no revivir las situaciones traumáticas eliminándolas.

Algo similar ocurre cuando envejecemos y perdemos la memoria. Inconscientemente, preferimos olvidar que enfrentar las realidades de la vida.

El futuro no se ve tan prometedor cuando envejecemos. Sabemos que es inminente mudarnos a un asilo para ancianos, nos da miedo la soledad, depender económicamente de alguien y perder nuestras funciones físicas. Cuando la vida nos amenaza con algunas de estas situaciones, o con todas, ausentarnos mentalmente aligera el dolor.

Escribe las cosas que olvidas, esto puede darte una pista sobre qué situaciones te causan dolor. Cuando impartía clases de arte y de pronto el grupo se llenó, "olvidé" enviar la información a un par de alumnos y perdieron el curso. Nunca habría hecho esto de manera consciente, pero mi mente inconsciente detectó una situación mental excesiva y se hizo cargo.

Cómo mejorar la memoria

Emocionalmente, pregúntate si lo que olvidas sigue un patrón. ¿Podría ser que no querías hacer lo que olvidaste? Si siempre olvidas el nombre de una persona, analiza qué tipo de relación tienes con ella. Olvidar a las personas es señal de que no deseas interactuar con ellas. Si olvidas ciertos hechos, es porque quizá encierran recuerdos dolorosos y es mejor eliminarlos.

La dieta diaria no siempre provee suficientes vitaminas esenciales, sobre todo porque, conforme envejecemos, dejamos de llevar una dieta variada a causa del esfuerzo que requiere cocinar. Esto, combinado con la capacidad de nuestro cuerpo para absorber menos nutrientes, provoca deficiencias.

Para que el cerebro funcione bien, necesita mucha energía. Con la edad, las neuronas se vuelven menos eficientes para asimilar la glucosa, el combustible básico del cerebro. Este descenso de energía causa problemas cognitivos y de memoria, y con el tiempo las células del cerebro se destruyen. No tienes que aceptar la pérdida de la memoria, puedes prevenirla.

Se han descubierto varios complementos que mejoran y restauran el funcionamiento de la memoria de manera significativa, y retardan el proceso de envejecimiento. Sugiero que consultes a tu médico para obtener mayor información.

PÉRDIDA AUDITIVA

Aproximadamente una tercera parte de los adultos mayores de 65 años sufren pérdida auditiva, que varía de parcial a total. Después de los 75 años, el porcentaje se incrementa y alcanza casi el 50%.[1] Las razones son trastornos *físicos*, que bloquean la transmisión del sonido, o trastornos *funcionales*, resultado de factores psicológicos con causas físicas no identificables. A menudo, las personas de la tercera edad se niegan a hacerse una prueba auditiva, por temor o por vergüenza, y sufren en silencio durante años, pues no pueden participar completamente en una conversación.

Cuando nuestra audición se ve afectada, nos aislamos del resto de la gente. Nos esforzamos por interactuar y nuestro mundo se vuelve distante, desaparece. *Hacemos oídos sordos* a un mundo que ya no queremos *escuchar*. Oír es escuchar, y no queremos escuchar a aquellos que nos dicen lo que no deseamos oír. Personas con problemas auditivos me han dicho que les cuesta más trabajo escuchar a su pareja que a cualquier otra persona. Esto es muy interesante, ya que quizá esa persona les dice cosas que no quieren oír o hacer, y desconectarse de ellos es una manera de enfrentar la situación. Es una forma pasiva de ignorar lo que no queremos oír. La ira puede estar involucrada, como si dijéramos: "no puedes obligarme a oír lo que no quiero".

Los padres le gritan al niño: "¡Escúchame!" cuando no quiere hacer lo que le dicen. Los adolescentes ponen la música a todo volumen para aislar los sonidos de la casa, y les gritamos: "¿Estás sordo?". Entonces, no escuchar es un acto de rebeldía. No escuchamos lo que no queremos absorber ni hacer. Queremos encerrarnos en un mundo que nadie pueda invadir, y cuando envejecemos descubrimos que no sólo no oímos lo que no deseamos, no escuchamos nada.

Es lógico que, conforme envejecemos, estemos menos dispuestos a escuchar a los demás, pues hacerlo implica someternos a su voluntad y no a la nuestra. Como no queremos perder autoridad, recuperamos el poder ignorándolos. Nuestra sordera impide que nos obliguen a obedecerlos.

Una vez trabajé con un hombre que padecía baja audición selectiva. Cada vez que le pedían que hiciera algo que no quería, simplemente no oía. Sin embargo, a la menor señal de algo favorable se volvía *todo oídos*. Considero que no era una acción consciente, sino una simple reacción porque pasó años obligado a escuchar y a hacer lo que no quería.

En el libro *Un antropólogo en Marte*,[2] leí un caso en el que el médico cirujano Oliver Sacks, el autor, describe que un paciente curado de sordera con cirugía escucha por un corto periodo y luego anula emocionalmente su audición y se vuelve sordo otra vez, aun cuando no hay causas físicas.

El índice de niños que utilizan aparatos auditivos, o tienen problemas de audición, va en aumento. Es probable que esto tenga que ver con que son obligados a oír cosas que no desean, como discusiones entre sus padres y, como deben obedecer, son forzados a escuchar comentarios denigrantes sobre su persona. Entonces, no escuchar se vuelve un patrón para ignorar las experiencias dolorosas, lo que se convierte en sordera cuando envejecen.

En otro caso, la capacidad auditiva de un hombre disminuyó cuando su esposa se interesó en la medicina alternativa. El concepto le pareció absurdo y entre más se involucraba ella en este campo, más empeoraba su audición. No entendía la nueva forma de pensar de su esposa y por eso decidió eliminarla de manera inconsciente.

Recuerdo que un hombre de edad avanzada, que sufría de problemas auditivos, decía: "No entiendo por qué todos se empeñan en hablar de cosas desagradables". Y resolvió el problema desarrollando una audición selectiva, ignoraba lo que le molestaba. Cuando lo presionaron para que usara un aparato auditivo, volvió a solucionar el problema pisándolo "accidentalmente", fin de la situación.

No sólo deseamos ignorar las demandas de los demás, también sus opiniones. *Haciendo oídos sordos* bloqueamos lo que nos desagrada. Nuestros pensamientos negativos también evitan que escuchemos la verdadera naturaleza de las situaciones, y el efecto empeora cuando estamos estresados emocionalmente. Como no oímos, creamos nuestro propio mundo pacífico, en el que no existen las demandas y pocas cosas nos molestan, porque sólo escuchamos lo que queremos.

Pregúntate qué es lo que no quieres oír, sobre todo si tu capacidad auditiva empeora con una persona en particular. ¿Te molesta? ¿Te dice qué hacer? ¿Toca ciertas heridas emocionales? ¿Por qué quieres ignorarla? ¿Te sientes amenazado o enojado por lo que escuchaste y deseas acallarlo?

DEMENCIA

La demencia o senilidad es el colapso de la capacidad intelectual que afecta la memoria, el juicio, la capacidad de concentración y produce confusión. Puede provocar delirio y cambios de la personalidad. La causa puede ser una enfermedad del cerebro (como Alzheimer), un derrame cerebral, el mal de Parkinson, el mal Huntington, el mal Creutzfeldt-Jakob o demencia relacionada con el SIDA.

El abuso prolongado del alcohol, cigarro o drogas, o el contacto con gases venenosos también causa demencia. Se calcula que el 10% de las personas mayores de 70 años presenta problemas serios relacionados con la memoria, y el 50% de los casos (es decir, el 5% en total) se debe al Alzheimer.[3] Por lo general, la enfermedad de Alzheimer se desarrolla lentamente e inicia con problemas para recordar hechos recientes o dificultad para aprender cosas nuevas. A menudo, es mal diagnosticada y se confunde con depresión profunda, deshidratación o sobredosis de medicamentos.

Las cosas se olvidan y no vuelven a recordarse, cuando la mayoría de las personas recuerda poco después lo que olvidó. Lo que antes se hacía con facilidad, ahora se realiza con gran dificultad; las palabras se escapan, lo que causa frustración y enojo. La desorientación es común, igual que colocar objetos fuera de su lugar. El paciente también presenta cambios repentinos en el estado de ánimo, y puede volverse más introvertido. Asimismo tiene cambios drásticos de personalidad, que a los seres queridos les cuesta trabajo entender y manejar. La presencia de algunos de estos síntomas no necesariamente significa que se padece Alzheimer, pueden estar relacionados con otro tipo de problemas más fáciles de tratar. Consulta a tu médico si tienes dudas.

Los derrames cerebrales son la segunda causa de demencia. La demencia o senilidad es el síntoma de un problema subyacente. Aunque muchos consideramos que la senilidad es parte del envejecimiento, sus causas físicas pueden ser producidas por factores tratables. Un estudio médico podría sugerir que un cambio de dieta y estilo de vida con complementos adicionales, pueden retrasarla y, en algunos casos, aliviarla.

Conforme envejecemos, nos sentimos con menos fuerza física y mental. No caminamos las mismas distancias, no reaccionamos con la misma velocidad, no disfrutamos de noches de sexo apasionado, no tenemos los mismos ingresos y, en general, ya no hacemos lo que hacíamos cuando éramos jóvenes. La falta de fuerza nos hace sentir inseguros, impotentes y sin esperanzas. Nuestra reacción instintiva es intentar controlar el mundo que nos rodea, porque eso nos da seguridad. Creemos que estamos demasiado viejos para cambiar y adaptarnos al nuevo mundo, así que el camino más seguro es tratar de controlar y cambiar a los demás, como la abuela que rige a la familia con matriarcal mano de acero.

En las comunidades tribales, los ancianos son venerados como personas sabias que tienen mucho que ofrecer a la tribu, compartiendo tradiciones y enseñanzas. No obstante, en la sociedad moderna, las personas de edad avanzada son consideradas una molestia, ya están "caducas". Los hijos no viven con ellos, sus escasas pensiones no le aguantan el paso a la inflación, y son condenados a vivir solos, pobres y sin amor, o son confinados en asilos para ancianos, lejos de aquello que les es familiar. Con la mudanza pierden a sus queridas mascotas, sus pertenencias y sus amigos, e incluso la gente más fuerte se quiebra cuando se da cuenta de que no le importa a nadie. Además, llegan a la conclusión de que hasta allí llegaron, las metas que no lograron así se quedarán, y que las cosas que eran importantes en el pasado, como un buen empleo, en estos días sombríos carecen de valor. Entonces, muchos ancianos sienten que desperdiciaron su vida, lo que aumenta la sensación de vulnerabilidad y poca valía. El futuro ofrece pocas esperanzas en términos de amor o dinero, así que escaparse de la realidad es una opción placentera y preferible. Huyen de un mundo que ya no entienden y en el que no desean vivir.

La demencia también puede ser una oportunidad para vivir los aspectos de nuestra vida que no logramos satisfacer. La maestra solterona y recatada se permite un comportamiento provocativo y sexualmente obsceno; el hombre tímido se vuelve violento y abusivo. El pensionado a quien nunca le permitieron expresarse libremente, de repente se aloca y empieza a hacer cosas peligrosas y extravagantes, en un intento por equilibrar los desequilibrios emocionales vividos en sus años mozos. De pronto, hacemos y decimos todas las cosas que antes reprimimos.

Como nos sentimos temerosos e inseguros, adoptamos un comportamiento infantil en un intento por lograr la protección, la seguridad y el amor que experimentamos en la infancia. Volviéndonos niños otra vez –incontinentes, irresponsables e incapaces de cuidarnos solos– obligamos a la sociedad a hacer lo que de otra forma no hubiera hecho, cuidarnos.

En cuanto a lo físico se refiere, muchas de las sugerencias dadas en los incisos pérdida de memoria y de audición, pueden ser útiles. En lo referente a lo emocional, las demostraciones de amor y la aceptación sirven mucho para retrasar el proceso –por ejemplo, si te demuestran amor y te cuidan, no necesitas portarte como niño para exigirlos. La aceptación de nuestras limitaciones y enfocarnos en los aspectos positivos de nuestra vida, nos ayudan a aceptar el proceso del envejecimiento. Brindar ayuda a otros es una forma maravillosa de mejorar nuestra autoestima. La psicóloga Elisabeth Kübler-Ross,[4] que escribió varios libros sobre la muerte y trabajó con personas de edad avanzada y enfermos de sida, inició un programa estupendo en el que reunió a ancianos con bebés huérfanos. Los bebés que eran sostenidos y amados progresaban, igual que sus cuidadores de la tercera edad.

Gran parte la desvalorización que llega con la edad, se alivia prestando ayuda a otros. Es una manera de compensar al mundo antes de irnos. Mi madre trabajó como consejera hasta los setenta años y ahora, en sus ochenta, lleva comida a quienes la necesitan. Mi padre, que tiene 90 años, canta en el coro y da clases de Biblia. Otros ancianos cuidan mascotas cuando sus dueños salen de viaje; se reúnen para elaborar ropa para los pobres; leen cuentos a niños a quienes nunca se los leyeron; se dedican a su desarrollo espiritual y el de otros; cuidan a los nietos cuyos padres están muy ocupados para hacerlo, o simplemente ayudan cuando pueden. Cada acto de bondad hacia otros, es en realidad un acto de bondad hacia uno mismo, y eso refuerza su autoestima y cordura.

INCONTINENCIA

Durante los últimos años de su vida, mi abuela pocas veces salía de la casa sin dejar una marca húmeda en el sillón. El más sutil de los comentarios sobre lo que había pasado y cualquier sugerencia para aliviar el problema, eran recibidos con una rotunda negación. Simplemente no aceptaba que tenía un problema, y como no existía tal, nada había que solucionar.

Era todo un personaje e insistía en beber únicamente la cerveza más fuerte que hubiera, después de lo cual detenía a las mujeres que iban escasamente vestidas en la calle y les decía lo que pensaba de su provocativa ropa. Durante muchas comidas de los domingos, si no se salía con la suya, se levantaba de la mesa como un relámpago y se precipitaba hacia la puerta para regresar a su casa. Toda la fuerza de su ira recaía sobre mi padre, si no la seguía en el auto y la tranquilizaba antes de traerla de regreso, para que con voz estridente y triunfal le dijera a mi madre que era muy buena para manipular a su hijo, quien "nunca debió haberse casado. ¡Debió quedarse en su casa para cuidarla!". Con el paso de los años, se hizo de una mezcla rara de amigos y a sus famosas fiestas de cumpleaños asistían famosos bailarines de ballet, el vicario (aunque pocas veces iba a la iglesia) y la multitud heterogénea que conoció en el bar de la colonia.

Hay una anécdota famosa. Ya vestida con la bata verde del hospital, con la abertura por atrás que dejaba al descubierto una buena parte de su trasero, decidió no hacerse la histerectomía, sencillamente se fue del hospital y tomó el autobús para ir a casa, con la bata verde volando al viento.

Volviendo, entonces, a la incontinencia, es fácil deducir por qué mi abuela tenía este problema. Dado que vivió muchos años sola (su esposo murió en la Primera Guerra Mundial, cuando ella tenía veintitantos años), se vio obligada a reprimir muchas emociones que, a causa de la "rigidez" de su entorno, no podía compartir. La incontinencia era una forma de liberar las lágrimas no derramadas, una manera de soltar, en un nivel más inconsciente, toda su tristeza.

La incontinencia es un problema común que se presenta con la edad, sobre todo en mujeres; los músculos se ven afectados a causa de los alumbramientos y se vuelven incapaces de contraerse con la misma efectividad que antes. Debilitados por el esfuerzo del alumbramiento, estos músculos simbolizan el debilitamiento emocional y físico, pues años de lágrimas no derramadas, pérdidas y angustia por el futuro, crean una presión que es la predecesora de este mal funcionamiento. El agua, en el cuerpo o en otro sitio, representa las emociones. La luna, símbolo de lo femenino, controla el movimiento de las mareas, y es considerada el lado oscuro, acuoso e intuitivo de la extrovertida y fogosa energía masculina del sol.

Entonces, como no podemos retener nuestra agua o emociones, simbólicamente somos incapaces de retener el torrente de sentimientos que hemos acumulado a lo largo de la vida. Ya no tenemos fuerza para contener nuestras emociones, y simplemente se vacían a voluntad, incrementando la sensación de que no tenemos control ni poder en el mundo. La confusión, angustia o molestia, simplemente fluye a través de nosotros. La presión física que nos causa la vejiga llena se transforma en la presión que nos producen las emociones. Conforme envejecemos, la presión aumenta tanto, que nos vemos obligados a liberarla.

Igual que con los comportamientos anteriores, se logra mucho adoptando formas sanas de expresión, construyendo la autoestima y trabajando para recuperar el poder que sentimos que hemos perdido. El problema es que esto requiere esfuerzo y fuerza de voluntad, que son difíciles de conservar cuando envejecemos.

Notas

1. Pérdida auditiva, de la Extensión de vida: www.lef.org/protocols/prtcl-055. shtml.

   "Casi 16 millones de estadounidenses se ven afectados por la pérdida auditiva, que puede ser desde temporal hasta permanente, o bien de parcial a total (Bertoni et al. 2001). La pérdida auditiva afecta a cerca del 30% de todos los adultos de entre 65 y 74 años de edad, y el porcentaje aumenta al 50% en los adultos que alcanzan entre los 75 y 79 años. La pérdida auditiva es clasificada como conductiva (problemas en el oído externo o medio que bloquean la transmisión del sonido), neurosensorial (problemas en el oído interno o el nervio vestíbulo coclear), combinada (una combinación de problemas conductivos y neurosensoriales), y funcional (producto de factores psicológicos sin daños físicos identificables)".
2. Sacks, Oliver, *Un antropólogo en Marte,* Random House Audio, edición completa, 1995.
3. Alzheimer: Estadísticas sobre Enfermedad de Alzheimer, AllRefer.com. Enfermedad de Alzheimer.
4. Tomado de una conversación en vivo de Elisabeth Kübler-Ross en Cape Town.

Capítulo nueve

Dilo como es

Comportamientos relacionados con el habla

El sonido de una palabra

En el principio estaba la Palabra, y la Palabra estaba con Dios y la Palabra era Dios.

Juan 1:1

Cuando Juan escribió "Palabra", se refería a las ondas vibratorias que producen el sonido que se convierte en palabras. En las primeras traducciones del arameo, el significado de "palabra" es más parecido a "sonido" o "vibración" que a la palabra hablada. Cuando hablamos, básicamente la vibración del aire que pasa a través de nuestras cuerdas vocales crea el sonido que escuchamos. A partir de la vibración de la materia se creó el universo, donde todo está en constante estado de vibración. La más pequeña molécula está conformada por vibración o átomos en movimiento, lo que crea la ilusión de algo sólido, por eso las hélices de un helicóptero aparentan ser un disco sólido cuando giran.

Nosotros, igual que todas las cosas físicas del universo, estamos conformados por átomos. Al hablar, producimos sonido, el cual vibra como todo los demás y afecta al mundo que nos rodea. La voz de un cantante de ópera puede

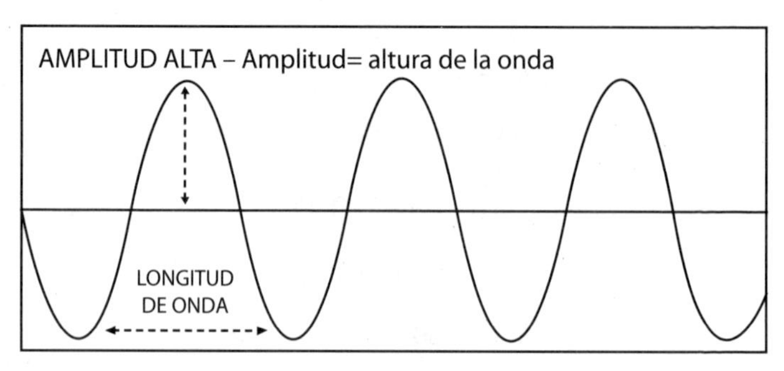
AMPLITUD ALTA – Amplitud= altura de la onda
LONGITUD
DE ONDA

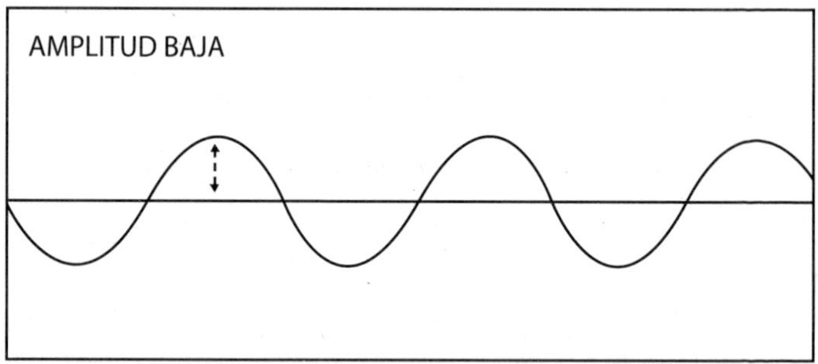
AMPLITUD BAJA

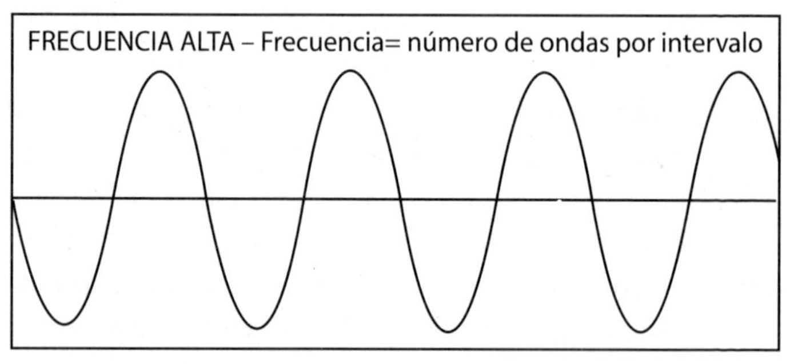
FRECUENCIA ALTA – Frecuencia= número de ondas por intervalo

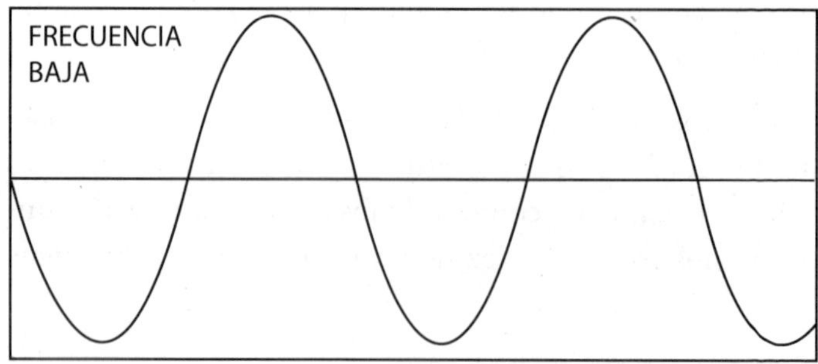
FRECUENCIA
BAJA

alcanzar una resonancia capaz de romper una copa. De forma similar, lo que decimos y cómo lo decimos tiene un efecto directo en el mundo que nos rodea. Si alteramos la resonancia de nuestra voz o nuestra manera de hablar, no sólo nos cambiamos a nosotros mismos, también al mundo que nos rodea.

Se dice que el sonido tiene frecuencia (el número de ciclos completos por segundo), amplitud (la altura o profundidad del nivel de la onda) y longitud de onda (la distancia entre dos puntos adyacentes de la onda).

Escuchamos el sonido en términos de volumen y tono. El volumen depende de la amplitud de la onda, entre más amplia, más volumen. La amplitud también mide la cantidad de energía que tiene la onda. El tono del sonido (que tan alta es la nota) depende de la frecuencia de la onda; a mayor frecuencia, mayor tono. Las frecuencias más altas tienen en promedio más fuerza que las frecuencias más bajas. Esto no significa que suenen más alto o tengan un pico de amplitud más alto, simplemente tienen más fuerza.

Para demostrar esto, imagina a un grupo de gente formado en una línea de veinte metros de longitud frente a un peldaño. La primera persona sube y baja el escalón, como lo haces en el gimnasio. En cuanto termina de subir y bajar, la siguiente en la línea la imita, y así toda la fila. La velocidad a la que se mueve la línea depende de lo rápido que cada individuo suba y baje, pues la siguiente persona en la línea tiene que esperar a que la anterior termine antes de moverse. Entonces, en poco tiempo, este movimiento de grupo asemeja una onda, algo muy parecido a la ola mexicana que es tan popular en los eventos deportivos.

Para hacer una onda con una frecuencia más alta, es decir, que la onda suba y baje más veces en un minuto, es necesario que la gente suba y baje muy rápido. Obviamente, este ejercicio requiere más energía que si se hace despacio. Si quieres que la onda se mueva más lento, tienes que decirles que suban y bajen despacio, y tardarán más tiempo en cansarse. Ahora, digamos que un día la gente tiene menos energía; entonces, se formarán dos ondas diferentes según el día, pues en uno tendrán más energía que en otro. La amplitud, o la altura de la onda, está determinada por la altura del escalón. Un peldaño más alto tiene mayor amplitud, pero requiere más energía. La fuerza de la onda depende de la cantidad de energía que la gente usa para subir y bajar el escaño cierto número de veces por minuto.

Entonces, es lógico que si reemplazamos la gente del ejemplo anterior con nuestra voz, ésta requerirá mayor energía para generar mayor amplitud. Esto quiere decir que una persona con una amplitud alta tiene más energía, decisión, valor y carácter que un individuo con una amplitud más baja. Una persona con amplitud baja tiene menos energía y carece de empuje para continuar.

La frecuencia alta está relacionada con lo entonados que estamos física, artística y musicalmente, y con qué tan sensibles y entonados estamos con los reinos superiores. Entre más alta es la frecuencia de la voz, mayor es el potencial para alterar o cambiar las vibraciones de quienes están alrededor. Así, un sonido de frecuencia alta tiene mayor "potencial" y se mueve más rápido que uno de frecuencia lenta. En otras palabras, entre más espiritual es una persona, más alta es su frecuencia. Aunque esto no significa que un individuo con una frecuencia alta sea muy útil para la sociedad, pues podría tener una amplitud baja, y en ese caso vivirá gran parte de su vida regido por altos estándares morales, sin lograr mucho. Lo mismo sucede con alguien que tiene una amplitud alta, puede ser muy poderoso y desarrollar ideas nuevas, pero si su frecuencia es baja, no usará su vida en beneficio de quienes lo rodean. Un ejemplo es Hitler, que tenía carisma y una amplitud alta, pero baja vibración, a diferencia de Cristo, quien seguramente tenía vibración y amplitud altas. Una persona con amplitud y frecuencia bajas, no tiene carácter fuerte ni alta espiritualidad.

Obviamente, si deseamos el dinamismo y el desarrollo espiritual para cambiar al mundo, es indispensable que tengamos frecuencia y amplitud altas. La forma de nuestra onda es la forma real de la onda que tenemos. Esto es una constante en todas nuestras vidas, mientras que la amplitud y la frecuencia cambian según la vida que escogemos.

Al trasladar frecuencia, amplitud, longitud de onda y forma de la onda, a la voz, dicen mucho de nuestra persona –nuestra voz puede ser de tono alto, áspero, suave o desagradable. Las diferentes etnias, idiomas, religiones y antecedentes culturales también determinan una forma general de hablar, dejando al descubierto atributos de ese grupo en particular.

En África, los miembros de ciertas tribus hablan muy alto porque viven en espacios abiertos, donde requieren de una voz fuerte y resonante para conversar con el vecino. En el Reino Unido, existe una amplia variedad de formas de hablar, y cada una de ellas indica el área donde vive la persona y la educación que recibió. Decimos que en boca cerrada no entran moscas para no hablar o sacar nuestros sonidos o sentimientos. Se sabe que los estadounidenses son más ruidosos que los británicos. En una amplia generalización, podría decirse que como pueblo los estadounidenses son mucho más bruscos y más felices que los británicos, que tienden a ser más recatados. El francés es una lengua más fluida que contiene la sensualidad y sexualidad de Francia. En comparación, el alemán es un idioma más gutural, con sonidos más duros, lo que refleja la necesidad de precisión y una visión disciplinada de la vida.

Dos formas de onda diferentes se afectan entre sí y crean resonancia. Así, mi forma de onda afecta a la tuya y viceversa. La resonancia produce armonía, y la discordancia genera desarmonía. La manera en la que tú y yo hablamos nos afecta a ambos, pero también dice mucho de lo que somos. Por lo tanto, no es improbable, sino lógico, inferir que somos capaces de hacer realidad lo que hablamos, con tan sólo crear la forma de onda adecuada. Sabiendo esto, analicemos los comportamientos relacionados con el habla y el sonido, y veamos qué revelan de nuestra naturaleza.

HABLAR SIN PARAR

¿Alguna vez has tenido un amigo o compañero de trabajo que no deja de hablar? El clima, la mascota, los problemas maritales, las mejores compras... el tema no importa, la charla no tiene fin. Los encuentras en la sala de juntas, hablando una y otra vez del tema que ya se solucionó; o en clubes de lectura, donde han leído todos los libros publicados; o en las reuniones con la asociación de padres, donde se aseguran que un encuentro de media hora dure cuando menos el doble de tiempo. De hecho, en cada esquina encuentras gente que habla sin parar, incluso algunos de nosotros podemos estar casados con una, sobre todo si somos callados e introvertidos.

Después de un encuentro con una persona que no se calla, nos sentimos agotados, y la siguiente ocasión que nos encontramos con ella, nos escondemos en el pasillo o tienda más cercanos para evitar otro ataque. Aunque no son personas desagradables, recurren a las palabras para llamar la atención y controlar una situación, porque en muchos casos son gente muy necesitada.

Es lógico que la energía fluya de una persona a otra, dado que todos somos seres de energía. Si nos sentimos agotados, buscamos a alguien que nos dé fuerza, pero si no la encontramos y no podemos atraer energía del universo, la obtenemos de nosotros mismos y, con el tiempo, esto nos enferma. Hablar sin parar es una manera de exigir atención para reabastecer nuestros recursos, por eso es tan agotador para quien escucha. El otro día, salí huyendo de unas personas con quienes tenía una cita que cuando mucho debía durar 20 minutos. Una hora más tarde, seguían hablando, y no dejaron de hacerlo mientras yo abandonaba el lugar para acudir a mi otra cita. Me sentía vacía, y saltaba a la vista que ellos se sentían recargados. Debo reconocer que, por no respetar mis límites, he permitido que algunas situaciones lleguen a ese punto y acepto mi responsabilidad. A pesar de todo, lo que me fascinó fue que si no me hubiera marchado, hubieran seguido hablando por horas, obviamente en una conversación desigual, pues su necesidad de ser escuchados era muy grande.

Al no parar de hablar, manipulamos a los demás para que permanezcan en nuestro espacio y así poder atraer su energía. Si amenazan con marcharse, introducimos otro tema o situación para detenerlos, o repetimos lo que ya dijimos.

Todos hacemos esto en algún momento de la vida, pero se requiere mucho valor para aceptar lo que está sucediendo, contenerse y buscar otras opciones para recuperar la energía perdida. Las relaciones se equilibran continuamente. Si el sube y baja desciende demasiado de un lado, la pareja se irá antes de quedarse vacía financiera, emocional, mental y físicamente.

Este es lado triste de las personas que hablan sin parar, su necesidad aleja a los demás y no entienden por qué no les agradan. Pero la gente no las rechaza a ellas, sino a su robo de energía.

Hablar sin parar es una forma de liberar el exceso de energía, por lo general causado por estrés. Algunos de mis pacientes se suben a la mesa de masaje y dan rienda suelta a sus pensamientos y problemas, y es imposible detenerlos. Esto también es una manera de evitar entrar en contacto con nuestros sentimientos. Al deshacernos de esta energía, liberamos las emociones que reprimimos. La falta de contenido en lo que dicen es muy típica de la gente que habla sin parar. Todos los detalles están presentes, pero lo que no aparece son las emociones relacionadas con la situación que describen. Al hablar sin parar, nos engañamos haciéndonos creer que trabajamos el problema cuando, en realidad, sólo evitamos enfrentar las emociones que nos produce. En este caso, no controlamos a los demás, sino nuestras emociones. Entonces, el control se vuelve un mecanismo de defensa.

Nos comunicamos con los demás para no establecer una comunicación profunda con nosotros mismos.

El opuesto de una persona que habla sin parar es un individuo al que le da mucho miedo abrirse. Sin embargo, aunque la herida puede ser la misma, la persona manifiesta cualquiera de estos comportamientos opuestos, según su situación particular.

Si tiendes a hablar sin parar, no olvides que Dios nos dio dos orejas y una boca para comunicarnos en esa proporción. Es común que las mujeres tiendan a hablar más que los hombres, y que hablen más de lo que escuchan. Recuerda que si hablas de más, es posible que estés empezando a vaciar energéticamente a quienes te rodean.

INTERRUMPIR

(Consulta también el Capítulo once, Comportamientos infantiles: Interrumpir.)

¿Te encanta interrumpir a alguien a la mitad de su conversación? ¿Te descubres terminando la historia que tu pareja estaba contando, porque piensas que te la sabes mejor o que la cuentas con más gracia?

La palabra "interrumpir" viene del latín *inter*, que quiere decir "entre", y *ruptum*, de *rumpere*, que significa "romper" o "explotar". Como en el caso de ruptura, irrupción y erupción, las palabras representan una ruptura nada armoniosa. Entonces, interrumpir indica que somos hostiles con las personas que elegimos para compartir.

Si una cabra nos golpea el trasero, es un mensaje claro de que nos quiere fuera de su camino. Y lo mismo sucede con el que interrumpe. Se entremete y nos margina de la conversación. Además de querer ser el centro de atención, también intenta controlar lo que decimos, pues está resentido porque no puede controlarnos por completo. Interrumpir a una persona es una manera de menospreciarla. A menudo, las esposas actúan así con su pareja, por miedo a que diga algo que no aprueba. Esto también es un método de control e indica falta de respeto y de confianza en la pareja. El mensaje es: si no vas a decir las cosas como yo quiero, me aseguraré de que no digas nada.

Comúnmente, quien interrumpe se siente inseguro y busca dominar al mundo que lo rodea para sentir que tiene el control. Al no permitir que expresemos nuestras ideas o problemas, se aseguran de no escuchar algo que incremente su ansiedad. Sin embargo, la práctica sugiere una falta total de respeto por los límites de los demás.

Adquirimos límites sanos cuando vivimos una infancia sana, estable, segura y de confianza. Esto nos brinda la capacidad de decir: "No, ya basta, por favor", "Ya comí demasiado", o "Esta es una relación destructiva y debe terminar". Si nuestras fronteras no están intactas, no respetamos las fronteras de los demás. Es posible que nos hayan impuesto límites estrictos o que no nos hayan puesto ninguno, por eso invariablemente dependemos de otros para sentirnos bien con nosotros. Como no podemos fijar nuestros propios límites, tratamos de fusionarnos con otros para sentirnos seguros, pues constantemente buscamos llenar el vacío que sentimos. Nos esforzamos por lograr que los demás sean "lo que deseamos".

Cuando nos entrometemos en la conversación de otras personas, los consumimos para saciar la necesidad de sentirnos completos. Esta necesidad es producto de los escasos límites que nos impuso nuestra madre, un trauma en el momento del nacimiento, una enfermedad grave, una cirugía, abuso físico, descuido, problemas para comer o pobreza extrema. Es una necesidad muy triste de que nuestras heridas sean escuchadas.

HABLAR RÁPIDO

Igual que la gente que habla sin parar, la persona que habla rápido desea deshacerse del exceso de energía. Estamos viviendo muchas cosas, y hablar rápido es una forma de deshacernos de ello. Debido a esto, la comunicación se dispersa, pues el locutor salta de un tema a otro en un intento por abarcar varias situaciones.

Para ser un buen comunicador hay que ser un excelente escucha. Si estoy ocupada recitando la información a la audiencia, no puedo escuchar y no sé qué es lo que en verdad les interesa oír.

Hablar rápido también indica inseguridad, queremos terminar lo que estamos diciendo a la brevedad. Tal vez no estamos seguros del tema, o quizá somos muy brillantes y necesitamos procesar nuestros pensamientos en cuanto nos llegan a la mente, faltándole al respeto a la capacidad de los demás para comprender lo que decimos.

Para superar este comportamiento, el orador debe dedicar más tiempo a escuchar su voz interior que a la exterior. Esto calma a la ocupada mente y la equilibra.

HABLAR FUERTE

Cuando nos sentimos pequeños e insignificantes, nuestro ego lo disfraza haciéndonos ver más grandes de lo que nos sentimos. Hablar fuerte es una manera de llamar la atención, pero también de regir o dominar a través del sonido. Las voces débiles se pierden en la cacofonía del parloteo estruendoso, y tratamos de asegurarnos que no nos suceda eso. ¿Por qué cuando la gente bebe en exceso habla más fuerte? Porque su ego se manifiesta con toda intensidad y exige atención. Cuando están sobrios, el ego se reprime. Si permiten que el ego haga lo que quiera, se apodera del control del grupo, y hablar fuerte les permite este lujo.

HABLAR SIN CAMBIAR DE TONO

Hablar con muy poca amplitud, o sin cambiar el tono, es una característica de las personas a las que les da miedo exponerse por temor a ser ridiculizadas o rechazadas. En lugar de escoger entre una amplia gama de expresiones, suprimen las emociones, lo que da como resultado un diálogo aburrido y sin vida. Es una acción segura, que no enloquece a nadie, pues es allí donde radica el miedo. Uno podría decir que "Más vale pedir perdón que permiso", ellos prefieren decir: "Mejor no expreso mi opinión porque podría estar equivocada". Su mundo es gris, pero seguro. Es aburrido para el que escucha, pero también para el que habla.

Entusiasmo en el diálogo es lo opuesto a monotonía. La palabra "entusiasmo" viene del griego *enthousiazein*, que significa "estar poseído por un dios". Cuando le restamos entusiasmo a nuestro diálogo, indicamos que nuestra vida carece de él y que dejamos de creer en nuestra parte divina o superior. ¡Da mucho miedo llegar allí! Trata de inyectarle entusiasmo a tus diálogos y mira cómo cambia tu vida.

Hablar por la nariz

La nariz representa el reconocimiento personal. Al hablar por la nariz, el que habla es nuestro deseo de reconocimiento. Esto sucede porque con frecuencia el conducto nasal está bloqueado, lo que indica que creamos bloqueos para ser reconocidos o aceptados. Queremos recibir reconocimiento para mejorar nuestra autoestima, pero no sucede. Cuando nos resfriamos, hablamos con la nariz tapada porque estamos tristes (la mucosidad representa las lágrimas internas) por no haber recibido amor incondicional, aprobación y reconocimiento por nuestros esfuerzos.

La necesidad de reconocimiento puede convertirse en una fuerza muy destructiva. En lugar de hacer lo que consideramos correcto para nosotros, actuamos para satisfacer a los demás. Y esto significa que no somos fieles a nuestras necesidades. Entre más requerimos la aprobación de los demás, más nos evade. Cuando aprendemos a aceptarnos, los demás también nos aceptan. Así funcionan las cosas, pero nos esforzamos una y otra vez por hacerlo al revés. Y lo único que conseguimos es evitar que nos reconozcan.

Tartamudear

Los hombres y los niños tartamudean más que las mujeres y las niñas, casi cuatro veces más. Es curioso, porque el habla nada tiene que ver con el sexo de las personas, aunque en cuanto a cantidad de palabras habladas se refiere, algunos opinan que las mujeres llevan la ventaja. Existe gran cantidad de evidencia que demuestra que tartamudear es genético, y que el 60% de los tartamudos tiene cuando menos un familiar que tartamudea, lo que no aplica en el

40% restante. En el caso de los tartamudos, hay pruebas que muestran que la parte izquierda de su cerebro no es tan dominante como debiera en el funcionamiento del lenguaje, presentan problemas auditivos y los músculos de la cara no se mueven al mismo tiempo.[1]

Hasta cierto grado, todos tenemos bloqueos para hablar con fluidez. Muchas veces usamos "este" y "mmm" para abrirnos camino en una conversación, sin llamar mucho la atención. No obstante, en el caso de los tartamudos son más obvios, e intervienen tics faciales, largos silencios, sonidos prolongados e incapacidad para verbalizar las palabras.

La historia está llena de tartamudos famosos: Winston Churchill, el actor Gerard Depardieu, Lewis Carroll, Marilyn Monroe, la cantante Carly Simon, el rey Jorge, y muchos más. Las causas emocionales residen en que los tartamudos rara vez tartamudean cuando actúan o están en el escenario desempeñando un papel diferente a sí mismos. Esta información tan curiosa indica que les cuesta trabajo comunicar su propia persona, o que se sienten inseguros.

Se ha descubierto que los tartamudos son mucho más sensibles que el resto de la población, lo que los hace más intuitivos y capaces de percibir emociones sutiles en las personas, que pasan inadvertidas para los demás. La sensibilidad los vuelve más vulnerables y hace que sientan más presión para complacer a otros, porque les da miedo herir o molestar a la gente.

El tartamudeo también está relacionado con el aspecto sexual. En el intento de cumplir con lo que los demás esperan de nosotros, suprimimos gran parte de nuestro comportamiento instintivo y natural. Los hombres adolescentes son más propensos a tartamudear. Como sus hormonas están descontroladas y su sexualidad salta a la vista, estos hombres jóvenes y sensibles no saben cómo manejar los cambios, que les producen un gran desconcierto. En un intento por reprimir este aspecto sexual básico, salvaje, primitivo y fogoso, y construir una opinión más dócil e inhibida de sí mismos, los jóvenes pierden el sentido de quiénes son en realidad. Les da miedo descubrir qué los acecha en las sombras, por lo tanto les cuesta trabajo hablar o defenderse porque sienten que su verdadero yo no tiene permiso para existir.

Esta persona "agradable" por fuera está confundida y no sabe quién es en realidad. En general, los tartamudos se sienten vacíos, incompetentes y enfermos. Con frecuencia, es el resultado de tener padres dominantes que desean moldearlo de cierta manera. Como desean complacer, obedecen y después les cuesta trabajo distinguir entre sus necesidades y las de los demás. Les da mucho miedo no satisfacer las necesidades de otros en lo referente a lo que deben ser. Si les piden que se representen a sí mismos, tienen muy poco que mostrar; no saben expresar con palabras lo que son, y el temor y el pánico se apoderan de ellos. Pero si le piden a un tartamudo que represente otro personaje, lo hace muy bien. Ese personaje no es ellos y por lo tanto no van a criticarlos. No les da miedo equivocarse cuando no se trata de sí mismos.

Quizá uno o ambos de nuestros padres nos avergonzaban y criticaban constantemente porque no cumplíamos con sus expectativas. Y cuando nos humillan con frecuencia, desarrollamos la necesidad de alimentar nuestro ego. Este conflicto produce tensión –como el sueño en el que huimos del coco y nos quedamos paralizados– y las palabras se congelan. El resultado es mucha frustración e inseguridad.

Más que una cura, el tratamiento que recibe un tartamudo es enseñarle a manejar el problema. Reducir la tensión y aprender técnicas para mejorar la fluidez, es de gran utilidad. Trabajar con métodos para mejorar la imagen que tenemos de nosotros mismos, así como entender y confiar en lo que somos, ayuda mucho a reducir el tartamudeo. Básicamente, es muy útil aprender a ser y a interpretar el papel de uno mismo, y sentirnos bien con lo que somos construyendo la autoestima.

Si conoces a alguien que tartamudea, ayúdalo haciendo un esfuerzo conjunto, haz que, tú y él, se sientan relajados cuando estén juntos. No digas: "habla despacio", y no lo interrumpas ni termines la oración o palabra por él. Con eso sólo logras quitarle valor a los tartamudos. Mantén contacto visual y escucha lo que la persona está diciendo, en lugar de demostrar aburrimiento y voltear a ver a la increíble rubia que acaba de pasar. Los tartamudos tienen una inteligencia normal, a menudo superior a la media, así que no los trates como si fueran tontos, ni con condescendencia.

GEMIR

Originalmente, gemir se relacionaba sólo con los perros y quería decir "quejarse con sonido lastimero". Como los perros son considerados inferiores, por su bestialidad, son más débiles que los humanos. Nosotros decidimos cuándo salen a pasear, qué y cuándo comen y, sobre todo, cuándo pueden aparearse. Controlamos su vida por completo. Cuando una persona gime es señal de que, igual que sus amigos caninos, se siente débil y no puede actuar de manera constructiva para lograr lo que desea, y se asegura de hacernos sentir culpables para conseguir su propósito.

Es un grito para pedir ayuda o amor. La gente que gime se siente incapaz de ayudarse y se recarga en aquellos que considera más fuertes para que la asistan. Incapaz de expresar sus necesidades con claridad, recurre a la manipulación y chantaje emocional para alcanzar su fin. Son víctimas que no son responsables de su propia vida e, igual que un niño, buscan la figura paterna o materna para que los cuide y los proteja. Para eso necesitan que sintamos pena por ellos, como los perros y gatos de grandes ojos que están en los pósters y que te suplican los lleves a casa.

Para superar la mentalidad de víctima, debemos aceptar ser responsables de nuestra vida, y no culpar a los demás. Evitamos darles responsabilidades a nuestros hijos (como alimentar al perro o limpiarlo); sin embargo, son ellas las que construyen la autoestima, que es esencial si deseamos crecer y superar la mentalidad de víctima.

Notas

1. Fundación para tartamudos "... (aproximadamente 60% de los tartamudos tienen un familiar que también lo es)... Tartamudear afecta cuatro veces más a los hombres que a las mujeres". La Fundación para tartamudos en Estados Unidos tiene una línea telefónica de ayuda sin costo: (800) 992-9392 o (901) 452-7344. Si hablas inglés, llama para solicitar información sin costo. info@stutteringhelp.org. Stuttering Foundation of America (Fundación para tartamudos en Estados Unidos), 3100 Walnut Grove Road, Suite 603, PO Box 11749 Memphis, TN 38111-0749.

Capítulo diez

Hábitos horribles

HÁBITOS RAROS Y POCO COMUNES

"Cuando voy a un restaurante, tengo la costumbre de moler muy bien la pimienta antes de echársela a la comida. Me preocupa que el triturador esté sucio. ¿Por qué me inquieta tanto?"

Estaban haciéndome una entrevista sobre los hábitos en un programa de radio. Estaba segura que podía improvisar respuestas a casi todas las preguntas sobre los hábitos comunes, como morderse las uñas, rechinar los dientes. La conductora del programa esperaba ansiosa, igual que miles de radioescuchas, que hablara de conceptos de gran profundidad. En esos escasos y dolorosos segundos, me retorcí tanto el cabello, que parecía que me había hecho rizos. Instantes después, se encendieron las chispas de la sabiduría y pude dar una respuesta razonable, por no decir brillante.

No obstante, esa experiencia me enseñó que existen bastantes hábitos poco comunes, muchos de los cuales son admitidos por unas cuantas personas, y otros difíciles de concebir. Aunque no son tan comunes, pueden parecerse a un hábito que tienes tú o alguien cercano a ti, y puedes aprender mucho del análisis de hábitos raros y peculiares.

LA ENTREVISTADORA QUE JUEGA CON SUS DEDOS DE LOS PIES

El presentador estaba terminando su programa; mientras, la entrevistadora y yo, sentadas en sillas altas y con micrófonos instalados hacia donde estábamos, nos preparábamos para iniciar la emisión. Observé, fascinada, que la conductora empezó a jugar con sus dedos de los pies. Subida en la silla alta, con las sandalias en el piso y sentada sobre una pierna, tenía fácil acceso a sus pies. Al darse cuenta a dónde dirigí la mirada, me preguntó en voz baja por qué siempre hacía eso antes de entrar al aire. Le respondí que los dedos de los pies representan nuestras ideas, pensamientos y conceptos. Antes de iniciar la emisión, necesitaba estimular al máximo su actividad cerebral para controlar el programa.

Al jugar con los dedos de sus pies, literalmente ejercitaba rápido su pensamiento. Quienes practican reflexología saben que el cuerpo entero se refleja en los pies, siendo los dedos pequeñas cabezas que representan un aspecto diferente de nuestros pensamientos. El dedo gordo simboliza lo que pensamos sobre la espiritualidad, nuestro lado analítico y la intuición. Si jugara únicamente con el segundo dedo, los pensamientos de la conductora estarían enfocados al amor o cuánto se quiere a sí misma, o a la imagen que desea proyectar al aire. Al masajear el tercer dedo estimula su capacidad para reaccionar y su autoestima; este dedo está relacionado con la comunicación y la capacidad para responder a preguntas y llamadas. El cuarto dedo representa las ideas y las creencias que tienen que ver con las relaciones, el dinero, el sexo y la capacidad de expresar las ideas, en tanto que el pequeño simboliza la actitud de la comunicadora para escuchar al público en general.

Una vez sabido esto, es más fácil entender por qué jugar con sus dedos de los pies se convirtió en un hábito que realiza antes de entrar al aire. Por suerte para ella, no es conductora de televisión, porque habría ocasionado la sorpresa de las personas que la vieran practicar este hábito.

EL HOMBRE QUE SE JALA EL PANTALÓN...

Daniela me preguntó: "¿Por qué cada vez que mi esposo y yo discutimos, se jala la parte delantera del pantalón?"

¿Alguna vez has escuchado la expresión: "Yo llevo los pantalones aquí"? Como su esposo se frustra muchísimo porque Daniela se niega a aceptar su punto de vista durante las discusiones, se ve forzado a demostrar lo que quiere dejar claro, que es: "Oye, yo soy el jefe. Mira, yo traigo los pantalones. ¡Ve! ¡Ve!". Si ella insiste en no someterse, el jaloneo se vuelve más frenético porque su inconsciente responde a un programa que quizá se le grabó cuando era niño. "Los hombres llevan los pantalones. Mira, yo los llevo aquí".

... Y EL HOMBRE QUE JUEGA CON SU ENTREPIERNA

Ana, una atractiva vendedora, comentó: "Cada vez que mi jefe habla conmigo o con alguna de mis compañeras, coloca la mano en su entrepierna y juega con ella. No creo que esté consciente de lo que hace, sería demasiado vergonzoso saber que haces eso. Siento que es una reacción nerviosa. ¡Espero que no esté embaucándome!"

El jefe de Ana es muy parecido al esposo que se jala el pantalón. Se afirma a sí mismo y a sus empleadas: "Mira, tengo pene. Lo que significa que yo mando aquí. Escúchame. Yo tengo el poder". Pero esta acción por supuesto demuestra que no está seguro de que así sea.

LA QUE EXPRIME LOS BARROS Y ESPINILLAS DE OTRA PERSONA

Una persona del público llamó para decir lo mucho que disfruta exprimiendo los barros de su hijo y de su esposo. Investigué y descubrí que la práctica es más común de lo que uno cree. Me quedó claro que la satisfacción de exprimir y sacar la infección produce una gran dicha. Tal vez te parezca asqueroso, pero no lo es tanto si vemos a otros animales. Mis gatos se lamen uno a otro con mucho amor, y los simios pasan horas espulgándose y buscando otros parásitos. Es un comportamiento natural, aunque un poco primitivo.

Los barros representan la ira y el conflicto que se acumulan hasta formar un bulto que explota. Por eso aparecen cuando somos adolescentes. En esa época vivimos un gran tormento interior, que puede convertirse en antipatía hacia uno mismo. Las emociones y las hormonas aumentan sin parar e invaden nuestro cuerpo, causando cambios de humor y deseos sexuales que nos avergüenzan y no podemos satisfacer. Estas erupciones son pequeñas expresiones de nuestro tormento interior. Nos enfrentamos al mundo con la cara, y si está cubierta de acné, nos enfrentamos al mundo llenos de desagrado y vergüenza por las emociones y deseos que no podemos contener. Los puntos negros son la suciedad o "cosas" negras y duras que se quedan estancadas e impiden que la piel respire con fluidez.

Para satisfacer el deseo primitivo de lucir bien, como madre o pareja, exprimimos los barros de otra persona para ayudarla a eliminar lo que la afea, es una manera de hacer bien las cosas. Al extraer el veneno, la piel y el individuo sanan. La piel es un medio para comunicarnos con el mundo exterior. Cuando vemos algo que no es de nuestro agrado (como un barro) en una persona a la que amamos, nuestra reacción (si somos protectores) es desaparecer la imperfección y la pequeña emanación de ira que representa.

LA QUE QUITA O AFEITA EL VELLO PÚBICO

La depilación francesa es quizá uno de los hábitos populares más raros, y a muchos hombres los excita. Al ver la vagina afeitada, exponiendo su vulnerabilidad, los hombres sienten que conquistan a una joven virgen, y le dan una nueva dimensión a lo que podría convertirse en una aburrida vida sexual.

Sin embargo, algunas mujeres se quitan el vello púbico más por compulsión que por motivos sexuales. Simplemente se siente bien tener menos pelo. El pelo es vital como receptor y como mecanismo de limpieza para el cuerpo. Sudamos más cuando tenemos pelo y, por lo tanto, eliminamos más toxinas. No obstante, parece que las mujeres tienen la compulsión de afeitarse el pelo de todo el cuerpo, desde las piernas hasta las axilas, pasando por las cejas y el vello púbico. El pelo del cuerpo es un atributo masculino, y al deshacernos de él nos sentimos más femeninas.

Pero la feminidad primaria es, por naturaleza, oculta, cálida, acogedora y húmeda con fuertes y seductores olores. Al eliminar el vello corporal, nos deshacemos de nuestra naturaleza primordial. Todo debe ser suave y oler a desodorante sintético, porque nos da miedo que se perciba nuestra naturaleza sexual impregnada de almizcle. Cortar el vello púbico es una forma de volver al estado virginal de la infancia, donde todo es limpio, puro, sin rastro visible de la sexualidad.

El pelo también funciona como antena del cuerpo. De él tomamos energía y a través de él liberamos toxinas. Según la Biblia, Sansón necesitaba su larga cabellera para conservar la fuerza, o su conexión espiritual. Nuestro cabello pasa del cuerpo físico al cuerpo astral o emocional, que nos permite tener acceso a otras dimensiones emocionales. Deshacernos del vello púbico es separarnos de nuestro cuerpo emocional-sexual.

Nos da miedo ser sexuales a causa del abuso o la vergüenza. El pelo del cuerpo nos recuerda nuestra naturaleza sexual, mientras que la ausencia de él nos remite a la inocencia infantil. En lugar de aceptarlo, deseamos eliminar toda huella de nuestros deseos adultos.

EL QUE SE TROPIEZA CON LA GENTE

Le había pedido a mi hija que hiciera algunas tareas de la casa, cuando me percaté que se tropezaba conmigo. También recuerdo que tenía una empleada que acostumbraba empujarme cuando yo estaba cocinando, supuestamente de manera "accidental". Cuando alguien me preguntó qué significaba, recordé estos incidentes y los relacioné con el comportamiento que la persona describió.

En este contexto, tropezarse con la gente es una agresión. Los niños pequeños se empujan unos a otros cuando están haciendo fila para definir su lugar en el grupo. Lo mismo sucede con los adultos. Queremos decirle a alguien "quítate". Al marcar nuestro territorio empujándolos hacia un lado, estamos diciéndole que estamos enojados con ellos y que no nos sentimos intimidados. Con esto, desafiamos nuestra suerte y esperamos que no tomen represalias. Así como alguien nos presiona para que consumamos droga, nosotros empujamos a los demás con la esperanza de que se sientan intimidados y se sometan.

SEXO Y COSAS RARAS

Sin duda, el sexo es el área en la que más predominan los comportamientos peculiares. Desde mujeres mayores que observan a jóvenes desnudos haciendo ejercicio en bicicleta, hasta un hombre, desnudo pero con calcetines, que le pagó a una prostituta para que le permitiera aventarle pasteles de crema; no hay límites con respecto a lo que excita a la gente.

A lo largo de los siglos, los métodos anticonceptivos han sido muy peculiares, desde excremento de rata aplicado en forma de loción, hasta una deliciosa poción hecha con baba de caracol, vino y aceite, o atarse los testículos de una comadreja a los muslos. Claro que después de esto, nadie se te acercaba.

Estornudar para expulsar el semen, o introducir pimienta en la base del útero, también eran métodos anticonceptivos muy populares en la época romana.

En el Capítulo siete se analizan a detalle los comportamientos sexuales poco comunes.

EL HOMBRE QUE GOLPEA LA CABEZA

(Consulta también el Capítulo once, Comportamientos infantiles: Golpearse la cabeza.)

Chris era un brillante y ambicioso joven que tenía planes de ser exitoso en el mundo de la publicidad; sin embargo, carecía de la capacidad que se requiere para sobresalir en este campo tan competitivo. Esto provocó que su ego y su incompetencia chocaran con frecuencia, lo que por un lado lo hacía ser encantador, y temperamental y agresivo por el otro.

Para complicar más las cosas, su gerente era una mujer, que hacía muy poco por tranquilizar su frustrado ego. Entonces, desarrolló el extraño hábito de golpearse la cabeza contra los cristales de la oficina cada vez que le pedían que realizara una tarea que no quería hacer. En la publicidad, los cambios son frecuentes y a Chris no le gustaban los cambios. Por lo tanto, pasaba gran parte de su tiempo golpeándose la cabeza. Literalmente, sentía que estrellaba su cabeza contra la pared –por suerte para él, no era de ladrillo. (*Consulta también Autoflagelación, en el Capítulo catorce.*)

A menudo, los bebés se pegan en la cabeza para tranquilizarse. Es como si el golpeteo simulara el arrullo de la madre. Por lo general, superan este comportamiento; sin embargo, la relación entre golpearse y tranquilizarse no siempre se rompe. Por eso Chris se golpeaba, para que su gerente y sus colegas se percataran de su frustración (la cual era incapaz de expresar con palabras), pero esa acción también le brindaba la seguridad del mensaje inconsciente: "tranquilo, todo va a estar bien".

ACAPARAR

Un antiguo refrán inglés dice: "no hay nada más extraño que la gente".

Sin duda, los acaparadores entran en esta categoría dado que eligen acumular cosas muy curiosas. Es normal que quieras conservar los jeans talla 8 que usabas hace diez años, con la esperanza de que un milagro te haga reducir de la talla 14 a la 8 para volver a usarlos, pero otra cosa es que colecciones cada periódico o revista que has leído. La mayoría de las personas tendemos a guardar cosas, pero cuando llegamos al extremo, se convierte en Trastorno Obsesivo-Compulsivo, más que una simple renuencia a tirar cosas que podrían ser útiles en el futuro. (¿Por qué en cuanto nos deshacemos algo, lo necesitamos?)

Mi abuelo, que no tenía problemas en deshacerse de lo que no necesitaba, insistía en guardar los talonarios de sus chequeras. Murió a la edad de 94 años, dejando atrás incontables cajas con todos los talonarios de sus chequeras de los últimos 70 años. Conocidos como "tlacuaches" y considerados excéntricos, los acaparadores quedan sumergidos hasta el cuello en objetos o basura que no pueden tirar. En casos extremos, quedan incapacitados y solos porque el desorden los avergüenza, pero no pueden deshacerse de él. El programa de televisión *Qué tan limpia está tu casa*, es una muestra de ello. Lo interesante es que cuando necesitan un objeto determinado, no lo encuentran entre tanto desorden, por eso de nada sirve almacenar cosas. En casos extremos, las casas lucen abandonadas porque hay basura por todos lados.

Uno de los casos más famosos de acaparamiento fue el de Langley Collyer, un notable abogado que vivía con Homer, su hermano, un ingeniero, en una lujosa mansión de tres pisos en la Quinta Avenida y la calle 128, en Manhattan. Entre 1933 y 1948, se las ingeniaron para llenar la mansión con 103 toneladas de basura y deshechos, entre ellos 11 pianos, una máquina de rayos x antigua y todas las partes de un Ford modelo T. Por la noche, Langley recorría las calles en busca de objetos para almacenar. Murió de manera patética cuando la pila de objetos que había construido para que cayera encima del intruso que se atreviera a entrar a su casa, le cayó encima.[1]

El acaparador tiene miedo, quiere el control, se aferra al pasado o a la creencia de que algo malo ocurrirá si tira determinado objeto. Nos aferramos a las cosas porque creemos que nuestro mundo no cambiará y eso nos hace sentir seguros. Temerosos de dejar ir el pasado, conservamos artículos que lo representan. Dejar que se vayan, es dejar ir partes de nosotros mismos, cosa que lógicamente nos da mucho temor.

La cantidad acaparada puede llegar al punto de convertir la casa o el departamento en un riesgo para la salud y propenso a un incendio.

Los síntomas típicos del acaparador, que generalmente están relacionados con el Trastorno Obsesivo-Compulsivo, son:

- Comprar grandes cantidades de objetos que son almacenados para usarlos en el futuro –es algo así como prevenirse para el fin del mundo.
- No tirar artículos rotos o descompuestos.
- No usar todos los objetos adquiridos de un tipo en particular, como cientos de barras de jabón.
- Guardar periódicos y revistas viejos que posiblemente nunca han sido leídos.
- No tirar nada por miedo a que pueda necesitarse algún día.
- Ir al bote de basura y recuperar objetos que otros desechan.

Muchos de nosotros tendemos a acaparar, sobre todo si nuestros padres sufrieron carencias a causa de una guerra o la pobreza. El mensaje: "no desperdicies las cosas" puede llegar a los extremos. Muchos animales almacenan comida durante el verano para enfrentar los meses de invierno, y lo mismo hacemos los humanos. Tememos que en los tiempos malos necesitemos lo que ya tiramos, así que conservamos las cosas en lugar de confiar que el futuro nos traerá abundancia.

Algunos guardamos objetos **sentimentales**, como las calificaciones de la escuela, las cobijas de bebé o cualquier cosa relacionada con un evento, lugar o persona. Este tipo de acaparamiento se da porque a la persona le da miedo crecer y se aferra al pasado, ya sea su infancia o una relación. Es común que después de la muerte de un ser querido, conservemos intactos por años su cuarto y todas sus posesiones. Es muy difícil dejar ir. También podemos creer en la superstición de que al deshacernos de las cosas, ofendemos a la persona que murió y atraeremos la mala suerte. Los acaparadores temen que al dejar ir, pierdan una parte de sí mismos.

También existe el acaparador **sumamente responsable**, o muy preocupado, que cree que lo que guarda puede servirle a otra persona, así que conserva todos los objetos porque espera que aparezca la persona necesitada. Se siente culpable si tira cosas que pueden ser útiles. En la realidad, la mayoría de las cosas están descompuestas sin remedio, o están muy dañadas y no vale la pena arreglarlas. (Me acuerdo de esto cuando miro el procesador de yogurt que no traía instrucciones, el afilador eléctrico de cuchillos y la mezcladora de bebidas gaseosas que tiene una fuga de gas y no hace burbujas.)

A los acaparadores les cuesta mucho trabajo tomar decisiones con respecto a lo que deben conservar y a lo que deben tirar. Y en lugar de tomar la decisión, guardan el objeto. De esta forma, no tiran cosas que pueden ser útiles. Aquí el miedo radica en el temor a tomar una decisión equivocada.

La **organización** es un problema que se menciona con frecuencia. El acaparador simplemente no encuentra una forma lógica de acomodar o almacenar los objetos, así que deja todo desordenado, como pilas de cosas por todo el lugar, lo que paradójicamente le da la sensación de orden. Al mantener los artículos a la vista, cree que podrá encontrar lo que necesite cuando lo necesite.

También existen acaparadores que creen que si tiran una revista, perderán un reportaje importante. De forma similar, piensan que podrían tirar un sobre con dinero u otro objeto importante. Y en vez de revisar todo, lo que les toma mucho tiempo, se les hace más fácil guardarlo. Cuando te deshaces de un objeto, ya no controlas lo que le pasa; por lo tanto, acaparar puede considerarse un deseo de **controlar**.

Este control puede convertirse en miedo a olvidar. Si olvidamos algo que leímos, conservarlo nos da la oportunidad de volver a leerlo. Es imposible recordar todo lo que hemos leído, pero con la intención de no olvidarlo, el acaparador se siente obligado a no deshacerse de la información. Teme que al tirarlo, olvide su contenido o la apariencia del mismo y desaparezca para siempre.

Otros acaparadores se "especializan" en coleccionar determinados objetos para lograr una profunda satisfacción cuando completan la colección. No obstante, esto rara vez ocurre y la recompensa difícilmente se logra. Otros coleccionan información mental o toman notas de ciertos asuntos que no vuelven a consultar.

Ayudar a los acaparadores a que se deshagan de las cosas es difícil y requiere mucha paciencia y comprensión. Necesitan que se les aliente poco a poco para tirar los objetos. Quizá haya que establecer reglas y límites, como: si no lo has usado en el último año, deshazte de él. Deben establecerse métodos de organización y conservarla para que los resultados duren mucho tiempo. En algunos casos, en lugar de sentir temor por haber tirado sus "cosas", muchos acaparadores se sienten liberados. Por ejemplo, la señora a quien convencieron de tirar todos sus patrones de costura viejos y pasados de moda, dijo: "Literalmente sentí que había perdido mis viejos patrones tanto física como emocionalmente. Sentí que podía empezar de cero. ¡Fue una experiencia increíble!"

El proceso de soltar requiere cuatro acciones definidas:

1. Tirar
2. Reciclar
3. Regalar
4. Guardar

No debe haber acciones intermedias. Por ejemplo, si desde hace 12 años tienes un libro para hacer fondue, pregúntate si tienes dónde poner el fondue. ¿No? Entonces, ¿conoces alguna amiga que sí? ¿No? Las opciones dos, tres y cuatro no te sirven, así que la opción 1 es la solución. Tíralo.

ACAPARAR - ANIMALES

En abril de 1993, se descubrió que Vicki Kittles vivía en un inmundo camión en Astoria, Oregon, con 115 perros, cuatro gatos y dos gallinas. Los animales morían lenta y dolorosamente por falta de alimento y por enfermedad. La señora Kittles juró que amaba a los animales y que cuidaba bien de ellos, pero la realidad era diferente. No era la primera vez que la señora Kittles violaba la ley; en Florida, se descubrió que vivía en una casa llena de animales (entre ellos dos caballos en una recámara) con heces y esqueletos de animales que murieron de hambre. Aunque el caso de la señora Kittles es extremo, es un ejemplo de que conservar animales no es raro.[2]

Es triste y horrible que esta situación ocurra porque la gente cree que ama a los animales. Hace algunos años, me encontré con una situación similar en Zimbabwe, una anciana coleccionaba gatos. Aunque vivían en una granja y tenían más espacio, los gatos se apareaban entre sí y habían llegado al punto en que la mayoría estaban ciegos o deformes.

Los típicos acaparadores de animales no reconocen, o se niegan a aceptar, que los animales que supuestamente están cuidando, viven en condiciones precarias. Se obstinan y se rehúsan a separarse de los animales, sin importar cuán enfermos o hambrientos estén, negando la realidad de la situación. Argumentan que los animales enjaulados no sufren, o que no les importa estar amontonados. Puede haber un marcado contraste entre la imagen que dan al mundo exterior y la forma como viven. Es muy difícil curarlos porque, en cuanto pueden, inevitablemente retoman su hábito.

¿Qué motiva este hábito? Puede ser la simpatía que reciben por el "buen trabajo" que realizan. Esto alimenta su necesidad de parecer buenos cuando su lado oscuro amenaza con emerger. Desarrollan un arquetipo héroe-mártir que los hace sentir más importantes y nobles que el resto de los humanos. Se enamoran del personaje que crean y detestan mancharlo, por ejemplo, aplicando la eutanasia a cualquier animal.

El control es también un punto importante. A lo largo de su vida experimentaron o sintieron poco control o poder, y ahora manejan la situación y tienen poder sobre los infortunados animales que están bajo su custodia.

Algunos tienen la creencia retorcida de que cualquier vida es mejor que ninguna. Así que en lugar de dormir al animal que sufre, alargan su vida aunque sea miserable. A menudo presumen que lo "salvaron" y niegan que estén condenándolo a un destino peor que la muerte. Por lo general, son personas inteligentes e intrigantes que saben manipular muy bien a los medios de comunicación y a los benefactores.

Comúnmente, el acaparador de animales es una mujer soltera y solitaria que colecciona gatos o perros, hasta que la situación se le sale de las manos. Se convierte en una obsesión, la realidad se vuelve confusa y no se da cuenta de que las condiciones de vida son inmundas. Para los animales que intenta ayudar y rescatar, la vida es un sufrimiento terrible y mueren de hambre, a causa de la enfermedad o por aparearse entre sí.

Con frecuencia, los acaparadores de animales son de edad media o ancianos, caucásicos, mujeres e, irónicamente, trabajan en profesiones relacionadas con la enseñanza y los cuidados. En su vida profesional son perfectamente normales, o un poco excéntricos. A menudo, tienen infancias caóticas con padres inestables y buscan en los animales el amor que anhelan. Se sabe que tan sólo en Estados Unidos existen miles, o quizá cientos de miles, de acaparadores de animales.

EL QUE SE PICA LA NARIZ

Este es un hábito muy común que, igual que pedir limosna, tendemos a no aceptar. La mayoría, a veces, nos damos una buena escarbada, pero algunas personas adoptan el hábito y aprovechan cualquier momento libre, por ejemplo mientras manejan, para escarbar en lo más profundo de su nariz.

La nariz representa el reconocimiento. Es la parte que más sobresale del rostro de una persona. Resalta e indica hacia dónde vamos en el mundo, como meter la nariz cuando nos involucramos en los asuntos de los demás. La usamos para respirar, o incorporar el mundo a nuestro interior, y se bloquea cuando no queremos interactuar con el resto de la gente, como cuando nos da un resfriado y nos alejamos del mundo por un tiempo. Sin embargo, a veces sentimos que hay un bloqueo en la manera en que nos reciben o reconocen nuestros esfuerzos. Entonces tratamos de quitar el bloqueo picándonos la nariz y despejando el paso del aire para que nos reciban mejor.

Son peores los que se comen lo que escarbaron. ¿Por qué querría alguien ingerir la suciedad que la mucosa impidió que entrara al sistema y la absorbiera? Tal vez porque deseamos comernos lo que ha estado bloqueando o retrasando nuestra aceptación, de esa manera nos aseguramos que nadie *vuelva a interponerse* en nuestro camino.

Notas

1. Información inútil: http://earthdude1.tripod.com/collyer/collyer.html El caso de los hermanos Collyer.
2. Acaparadores de animales: www.vetcentric.com/magazine/magazineArticle.cfm por Wes Alwan, la historia de Vicki Kittles.

Capítulo once

Niños y berrinches

COMPORTAMIENTOS INFANTILES

Por incómodo que nos parezca a los adultos, los perros y los niños expresan, a través de sus hábitos, las situaciones reprimidas emocionalmente de sus amos o padres. Quizá dices: "Dios mío", cuando vienen a tu mente imágenes de tu hijo de cinco años comiéndose los mocos, o de tu perro que disfruta lamiéndose sus testículos. Lo cierto es que, en el entorno familiar, no somos islas independientes que flotan en un vasto océano de indiferencia. Como bien lo señala la escritora Denise Lynn: "Todos estamos atados por nuestras agujetas cósmicas".

En una familia, algunos miembros deciden expresar lo que les preocupa, mientras otros se reprimen. Los niños y las mascotas son menos hábiles para reprimir sus sentimientos, por eso tienden a demostrar que algo anda mal a través de su comportamiento. ¿No te ha tocado que tus bien portados niños se convierten en monstruos justo cuando llega tu familia política? A menudo, el niño más sensible es la antena de la tensión familiar y la expresa portándose mal.

Imagina una tubería en forma de U llena de agua, con una botella de plástico en cada extremo. Si aprietas una botella, el agua cae en la otra y viceversa. Lo mismo sucede en las familias. En la escuela aprendemos que la materia no se destruye, sólo se transforma. Lo mismo aplica con las emociones, no desaparecen, pero la tensión cambia. Días después de que llegó una visita inesperada a la casa, mi perro empezó a atacar a otros perros y, de repente, volvió a ser manso cuando la visita se fue. Es obvio que fue él el que canalizó la ira que yo no expresaba.

El estrés puede estar incrustado en nuestra psique, como lo descubrí hace algunos años, cuando consulté un psíquico-hipnotizador. Me regresó a una experiencia traumática del pasado que me hizo reprimir mis emociones. Era un incidente que tuvo lugar en casa de mi abuela, cuando yo era muy pequeña. Mi madre estaba llorando, y me sostenía en sus brazos. Después le pregunté si recordaba ese momento, pues yo era muy pequeña para acordarme de eso o de la causa de su pena. Sí lo recordaba y me contó qué la había alterado tanto. Esto era una clara señal de que su angustia había influido de alguna manera en mi actitud emocional, y el hipnotizador detectó los efectos.

La intención de este capítulo no es que nos autoflagelemos por no ser los padres perfectos (casi todos lo padres hacen su mejor esfuerzo), sino que comprendamos que los hábitos de nuestros hijos pueden *también* involucrar a la familia. Una vez que entendemos esto, podemos ayudar a que el *niño* y la *familia* sanen emocionalmente. No hay ser humano que no tenga problemas. La vida no es fácil, pero si aceptamos nuestras imperfecciones en vez de negarlas, podemos empezar a sanar nuestras heridas y las de aquellos que viven con nosotros.

Enuresis nocturna

"En cuanto mi hijo de cuatro años se sube a nuestra cama, empezamos a experimentar una cálida y muy húmeda sensación. Rara vez moja su cama, y esto ha pasado tantas veces, que se ha vuelto un hábito. ¿Por qué lo hace?"

La madre está exhausta y a punto de llorar. Uno podría argumentar que la vejiga del hijo está llena y que el cambio de ambiente propicia esta súbita y desagradable respuesta. Lo cual puede ser un factor físico, pero el hecho de que rara vez moje su cama sugiere que, emocionalmente, algo anda mal.

Por siglos, los marineros han considerado al mar como presencia materna, que en un momento está tranquila y en calma, y al siguiente salvaje y tempestuosa. El mar representa lo femenino y los asuntos femeninos, como sentir en lugar de pensar. No vemos lo que está oculto en el fondo del océano, por eso el agua representa nuestras emociones y nuestro inconsciente. Cuando lloramos, liberamos las emociones en forma de lágrimas, de la misma forma que la estática eléctrica que se junta en el aire causa los relámpagos y la lluvia. Llorar tiene un gran poder sanador. Sin embargo, crecemos en una sociedad en la que aún se graba en la mente de algunos pequeños que "los niños no lloran". Aunque no se expresa conscientemente, el mensaje es una regla no dicha en muchas familias, sobre todo para que el niño se gane la aprobación del padre. ¿Qué pasa con estos sentimientos que reprime el niño? Se acumulan y el inconsciente busca formas de expresarlos, por ejemplo, mojando la cama.

Igual que las lágrimas, mojar la cama indica que hay algo en la vida del niño que lo molesta profundamente. En el caso antes mencionado, al liberar su angustia o carga emocional en la cama de sus padres, el niño desea inconscientemente que presten atención a sus miedos. Es un grito de ayuda, que sus furiosos padres no escuchan, por eso repite el patrón.

El hecho de que moje la cama sólo en la noche, indica que el niño no está consciente de sus miedos, lo que produce más confusión. Es posible que al preguntarle qué le pasa no obtengamos una respuesta aclaratoria, ya que los miedos son inconscientes.

Con frecuencia, el miedo se disfraza de ira, como los animales que atacan cuando están atrapados. Un perro acorralado atacará al perro o persona que se acerque. De igual forma, el niño puede tener miedo y estar enojado al mismo tiempo. La frase: "Vete al carajo", combina ira y liberación en una sola expresión. El niño está muy enojado con quien le causa tanta angustia, y al mojar la cama libera el miedo y el enojo. Averigua por qué o con quién está enojado el niño.

Si tu hijo moja la cama, analiza el entorno en el que juega y el de la escuela. ¿Le tiene miedo a alguien? ¿Están molestándolo? ¿Ocurrió un divorcio o sucedió algo que amenazara su seguridad? ¿Es posible que alguien esté abusando de él? Puede ser que el niño sienta profunda culpa o vergüenza y no sepa cómo expresarlas. ¿Lo discriminan en la escuela o alguno de sus hermanos? ¿Le tiene miedo a alguno de sus padres? Por lo general, al padre. Si es muy estricto y autoritario, el niño teme disgustarlo, lo que le causa miedo y tensión. La presión emocional que el niño experimenta en el día, se acumula y, si no tiene otra forma de liberarla, la solución es mojar la cama. También es una forma de voltear las cosas y quitarle poder a sus padres. Sin embargo, no debemos olvidar que, igual que las lágrimas, mojar la cama es un grito inconsciente de ayuda.

Cuando tenemos miedo, animales y humanos nos orinamos espontáneamente. Parte del miedo se libera con la orina. Lo mismo sucede al mojar la cama. Por lo tanto, si ocurre con frecuencia debe tratarse con comprensión compasiva y hay que darle oportunidades al niño para que exprese sus sentimientos, tal vez con ayuda de un terapeuta. Ser sensible a las necesidades del niño es esencial. Debe enfatizarse que la disciplina es la peor reacción posible y sólo incrementará la vergüenza y el miedo.

Alarde

Cuando nos sentimos deprimidos, buscamos la manera de darnos ánimo. Aunque cierto grado de alarde es común en los niños, cuando llega a proporciones alarmantes es un indicador de que su autoestima está baja. Suele ser una fase y no una causa de preocupación. Sin embargo, hay que estar al pendiente, ya que un niño presuntuoso es tolerable, pero un adulto que no para de decir tonterías, ahuyenta a todos.

Llevar y recoger niños de la escuela y de sus actividades, me permite reconocer a los que están desesperados por conseguir algo de autoestima, pues rara vez pierden una oportunidad de alimentar sus pequeños egos. Como esto está relacionado con el ego, satisfacen gran parte de su deseo de darse ánimos a costa de la persona con quien interactúan, por eso no son populares. Si estamos demasiado llenos de nosotros mismos, no podemos relacionarnos profundamente con los demás, ¡no hay espacio! Como la línea entre hacer alarde y mentir es muy tenue, nadie quiere a los niños presumidos porque no confían en ellos.

Las relaciones, aun a temprana edad, se basan en la confianza, por eso es difícil tener una relación importante con alguien que miente. Si se permite que un niño alardee sin restricciones durante un largo periodo, es fácil saber que empezará a creer sus distorsiones exageradas de la verdad. Si los demás se impresionan, crean un patrón que dice: "No soy bueno como soy, por eso continuamente necesito mentir y exagerar para estar bien". El niño, y después el adulto, rara vez es feliz, porque siente que no vale nada siendo como es. Siempre vive con el temor de que alguien lo descubra y rompa su burbuja de mentiras.

Como la autoestima es baja, el ego se vuelve incontrolable y eso, con el tiempo, crea otros problemas de conducta, como un temperamento explosivo. Las necesidades del ego deben satisfacerse y los deseos se vuelven la fuerza que rige la vida del individuo. Simplemente nunca podemos ser humanos, sólo sentimos que hacemos actividades de humanos.

Si tu hijo alardea, busca formas suaves y genuinas para incrementar su autoestima sin necesidad de exagerar sus logros. Si tu hijo no es buen deportista, quizá tenga otros talentos que le permitan sentirse aceptado y exitoso. Como padre, ¿eres demasiado crítico? ¿Tienes expectativas muy altas con respecto a tu hijo?

BRAVUCONERÍA

No sé qué es peor, que te digan que tu hijo es bravucón o que es víctima de un bravucón. Originalmente, la palabra era un término positivo, como en el caso de la expresión: "Bien por ti", que le decimos a alguien que queremos o apreciamos, pero después el significado cambió y tomó el sentido de "agredir al débil".

En años recientes, se ha prestado mucha atención al abuso, algunas veces hasta el absurdo punto de que a los muchachos no se les permite jugar con brusquedad en la escuela, por temor a que les llamen bravucones.

El bravucón desea ejercer control sobre otro niño. Lo insultan, lo aíslan, lo amenazan, le dañan sus cosas, lo lastiman (física o emocionalmente) o lo obligan a hacer lo que no quiere. Al hacer una o varias de estas cosas, el bravucón logra que los demás niños le tengan miedo.

Los bravucones hacen esto para darse ánimos. Les gusta ser populares y "el jefe". La práctica les llama la atención porque se sienten incompetentes. Desde luego, eligen a niños más débiles e inseguros, que son diferentes de alguna forma, o que no saben defenderse. Estos niños oponen menos resistencia. Tal vez el bravucón sufrió abusos por parte de un hermano o un familiar, y aprendió el comportamiento para demostrar que él manda. Por lo tanto, sienten que no está mal lo que hacen. Pues si papá le pega a mamá y abusa de ella, ¿por qué el niño debe comportarse de otra manera en la escuela?

La víctima termina sintiéndose sola, insegura, sin autoestima, incompetente y diferente a otros niños, y todo esto afecta su capacidad para integrarse con sus compañeros. Los efectos son duraderos, por eso el abuso es muy peligroso. Los niños cómplices del abusivo que no defienden a sus compañeros, también sienten culpa. Lo triste es que es fácil que la víctima de abuso se convierta en abusivo, si el hábito no se trata correctamente.

Entre los síntomas que indican que tu hijo es víctima de un bravucón están: insomnio, ansiedad, baja en sus notas escolares, cambios de humor, introversión, falta de ganas de ir a la escuela, agresión hacia sus hermanos, moretones, etcétera. A menudo, a los niños les da miedo decirles a sus padres lo que está sucediendo.[1]

Los bravucones tienen baja autoestima y a menudo vienen de familias con padres que tienen problemas similares. Son menospreciados y abusan de ellos, o son testigos de abuso, y por eso pronto aprenden a hacer lo que ven. Los padres no siempre aceptan la idea de que el problema empieza en la casa, por eso no importa cuánto apoyo psicológico le brinde la escuela al niño, porque no se elimina la raíz del problema. Es una situación triste y traumática para todos los involucrados.

Sin embargo, la víctima, que igual que el bravucón tiene baja autoestima, aprende a defenderse y es motivada a crear lazos con otros niños que también se sienten solos. La unión hace la fuerza.

NECESIDAD CONSTANTE DE IR AL BAÑO

Igual que mojar la cama, orinar con frecuencia (descartada cualquier infección física), tiene que ver con el miedo y la ansiedad. Por lo general, sucede fuera de casa, cuando el niño siente miedo o inseguridad. Con la liberación de la orina se va cierta cantidad de miedo y tensión. Esto resulta exasperante para un padre que está atorado, con el carrito de las compras lleno, en un centro comercial, y pierde los estribos. Sin embargo, expresar el enojo sólo aumenta la ansiedad del niño y exacerba el problema.

Si ocurre en la escuela, es señal de que algo o alguien le produce miedo o ansiedad al niño. Su vejiga almacena y libera las toxinas del cuerpo. Igual que un globo, se expande y se contrae para contener una buena cantidad de orina. Cuando no puede alojar poca orina sin necesidad de liberarla, es señal de que el niño tiene problemas para adaptarse a los cambios. No retienen las nuevas experiencias y las liberan prematuramente. La presión emocional se convierte en presión física, que el niño requiere liberar. El niño puede recurrir a la necesidad de ir al baño para manipular la situación como símbolo de poder. Si orina muy poco o nada, significa que es incapaz de liberar las emociones que se han acumulado.

A veces, pasa cuando el niño tiene que adaptarse a todo lo que sucede a su alrededor e, igual que su vejiga, no aguanta la presión de la situación y quiere liberarla a la brevedad. Nuestros hijos tienen vidas muy activas, mucho más que la mía cuando era niña, según recuerdo. Tienen muchas actividades adicionales, clases y eventos, por eso es normal que a un niño, sobre todo si es muy sensible, le cueste trabajo y le dé miedo contenerlo. ¡Por eso quiere eliminarlo de su sistema, y rápido!

PROBLEMAS PARA DEFECAR

"Mi hijo estaba perfectamente entrenado para ir al baño, hasta que fuimos a visitar a la familia política en las vacaciones. Controlaba perfectamente su vejiga, pero con frecuencia defecaba en los calzones. ¿Por qué?"

Decimos que alguien es "anal" o "anal retentivo", cuando no se suelta y no disfruta la vida porque está muy ocupado reteniendo los problemas, generalmente materiales. A través del ano, controlamos cuándo y cómo dejamos ir nuestras angustias. Emocionalmente, defecar tiene que ver con control. Sentimos la necesidad de controlar porque no confiamos en el mundo en el que vivimos. Creemos que nuestro mundo es más seguro si intentamos controlar a otros.

Los niños tienen pocos medios para controlar su entorno. Sus únicas opciones son rehusarse a ciertos alimentos o liberarlos de manera poco apropiada. También saben que eso causa molestia a sus padres y, al ser la causa del problema, de cierta forma sienten que tienen el poder. Puede ser el resultado de obligarlos a pasar horas en el bacín, y ensuciándose expresan su ira contra la dominación de los padres. Algunas veces, refleja el hábito de los padres de tirar su mierda, o situaciones emocionales negativas, de manera inapropiada. Darles mierda es la única herramienta que tiene el niño para desafiarlos. Por otro lado, negarse a soltar es señal de no querer dejar el control en manos de los padres, generalmente.

En el caso antes mencionado, sin duda el niño resintió la intromisión de la familia en el tiempo que pasa con sus padres. Quizá también recibió la mierda emocional de varios de los miembros de la familia política. El ambiente y las personas extrañas lo asustaron, y defecando en su ropa era la única forma de liberar estos miedos y sentir que tenía control de la situación.

El entrenamiento para ir al baño implica aprender a controlar los músculos que antes actuaban espontáneamente. Por lo general, el niño no siente un deseo particular por dominar esta capacidad, por eso el entrenamiento se vuelve una lucha de voluntades entre el niño y los padres. Al aprender cuándo retener y cuándo soltar, se establece un patrón de vida, a nivel físico y emocional.

El peor caso que he conocido, fue el problema opuesto: negarse a defecar. Era una niña de tres años, que fue de viaje con sus padres y hermanos a una isla exótica. Cuando llegaron a su destino, dejaron a la niña en el club infantil, mientras los padres se tomaron un tiempo para salir de paseo. Para un niño pequeño y frágil, ser despojado por completo de su entorno familiar y encerrado en una guardería al cuidado de desconocidos, debió ser aterrador. Por desafío, miedo e inseguridad, decidió ejercer el poco control que tenía rehusándose a defecar. Necesitaba retener algo familiar. Se terminaron los siete días de vacaciones y ella seguía negándose a soltar. Por lo tanto, tuvo que ingresar al hospital para introducirle un enema.

Aunque entendible desde el punto de vista de la salud, desde la perspectiva de la niña, sus necesidades habían vuelto a ser subyugadas. Esto creó una continua batalla de voluntades porque, a partir de ese momento, la niña desarrolló el hábito de rehusarse a soltar, dando como resultado continuos viajes al hospital para introducirle enemas. La psicóloga y escritora Judith Anodea, dice: "La aplicación repetitiva de enemas es equivalente al abuso sexual, sólo que el abuso corresponde al primer chakra y no al segundo, que es el de la sexualidad (aunque en algunos casos tiene tintes sexuales). La invasión del área que está más relacionada con el primer chakra, el chakra raíz, destruye la confianza, que es tan importante en esta etapa, y literalmente fractura el sentido de integridad. Es garantía de que existirán problemas de límites, pues se crearán muros impenetrables o fronteras inexistentes. El derecho del primer chakra a tener es negado, pues la única creación sólida del niño le fue arrebatada contra de su voluntad, fuera de la sincronía del cuerpo. Como reacción, la energía sube a la cabeza, lo que produce incapacidad para retener y contener, o una excesiva necesidad de hacerlo, y daña la sensación de autonomía (problemas con el tercer chakra)".[2] Una manera menos dañina de tratar el problema lo hubiera solucionado, sin la necesidad de practicar repetidos enemas ni padecer sus efectos emocionales a largo plazo.

Al negarse a liberar el contenido de sus intestinos, el niño intenta ejercer control, o imponer su voluntad, contra las figuras de autoridad. Como físicamente retiene sus heces, se aferra al poder. La situación debe tratarse con sensibilidad, y quizá con un área de poder creada para el niño, para que pueda transferir su necesidad a algo menos peligroso para su salud. Una rígida disciplina sólo agrava la necesidad y aumenta el deseo de rebelarse. Debe establecerse la confianza en el mundo y en las figuras de autoridad, para que el niño se sienta seguro y suelte con facilidad.

Flatulencias

A casi todos los niños (y algunos adultos) les gusta soltar flatulencias. Es una forma de sacar el vapor, y nos sentimos mejor después de hacerlo. Todos expulsamos una cantidad aproximada de litro y medio de gas por día. Es más una función universal del cuerpo que un hábito. A los niños les encanta soltar flatulencias (¡es un gas!) porque, de cierta manera, es una agresión. Al dejar un olor fétido en el aire, hacemos que todos tengan que olerlo. En este contexto, es muestra del deseo de dominar al grupo. Igual que en una manada de animales, cuando el macho alfa marca su territorio con orina, el olor indica a los demás quién manda en el gallinero (o quién quisiera hacerlo).

Golpearse la cabeza

¿Tu hijo estrella su cabeza rítmicamente contra un objeto sólido, y lo hace más antes de dormir o cuando esta molesto? Muchos niños pequeños (hasta el 20%) golpean su cabeza. Los niños son tres veces más propensos a desarrollar este hábito que las niñas, lo cual, aunque preocupa a los padres, pocas veces es peligroso. Por lo general, se presenta alrededor de los seis meses de edad y termina entre los dos y tres años, aunque a veces continúa más tiempo. En algunos casos, indica problemas de desarrollo o autismo[3].

Aunque no sea tu caso, lleva al niño con el pediatra para que lo revise y despeje cualquier preocupación, sobre todo si tiene más de tres años y sigue golpeándose la cabeza, y si no interactúa contigo o notas retrasos en su desarrollo.

Girar la cabeza o rodarse, es similar a golpearse la cabeza. Parece que el bebé encuentra placer y tranquilidad en este hábito, que parece simular el movimiento que experimentó en el útero y cuando lo arrullan. También puede haber una conexión con el vestíbulo del oído interno, que controla el equilibrio y es estimulado con este movimiento. Comúnmente, los infantes no se lastiman, son todavía muy pequeños para generar la fuerza suficiente para causarse algún daño en el cerebro. Obvio, el riesgo aumenta conforme crecen, por eso es preocupante que lo hagan cuando son mayores.

A veces, golpearse la cabeza es un intento de llamar la atención, sobre todo si va acompañado de un berrinche. Entre más grande es la reacción, más se prolonga el hábito. También es señal de aburrimiento, frustración y una forma de liberar la tensión, ¿no has oído, *golpéate contra una pared de ladrillo*? Parte de la tensión puede estar dentro del niño o del entorno. Infantes con exceso o falta de estimulación también presentan este hábito.

Conforme crecen, los niños desarrollan otros medios para obtener el mismo resultado, meciéndose, bailando, golpeándose unos a otros, saltando la cuerda, etcétera. En niños mayores, golpearse la cabeza indica enojo porque no son escuchados o entendidos, padecen confusión, o interiorizan la agresión.

INTERRUMPIR

Estás tratando de organizar un importante negocio, o tu mejor amiga está a punto de contarte un jugoso chisme y no escuchas una sola palabra porque tu hijo de dos años salta a tu regazo y balbucea a todo volumen al mismo tiempo que te jala el cabello. Cuando estás en mitad de una oración, tu pequeño te interrumpe, no importa que estés hablando por teléfono o con una amiga. El comportamiento es persistente y ninguna distracción funciona. Este entrometimiento, como la cabra que te golpea el trasero, es un obstinado intento por conseguir el control y la atención del padre o de la situación. Es muy molesto para el que escucha y para el que habla.

Interrumpir indica que los límites no están bien establecidos, sobre todo en un niño mayor. No está seguro de dónde termina él y dónde empiezas tú. A través de su inseguridad, constantemente intenta controlar la conversación y a ti. Al permitir al niño que invada tus límites, creas mayor inseguridad porque siente que no existe un receptor seguro para su expresión. Un firme y calmado: "Ahora no" es un límite para ambos. Cuando terminas la conversación, entonces te diriges al niño y enfocas toda tu atención en él. La falta de límites hace que se sienta inseguro. Sin embargo, el exceso de límites tiene el mismo efecto. Como padre, hay que equilibrar las necesidades para que el niño se sienta seguro, pero no totalmente restringido.

PICARSE LA NARIZ

(Consulta también la página 192)

Es frecuente ver a un niño o a un adulto (casi siempre mientras maneja), feliz picándose la nariz. Ésta representa el reconocimiento. Cuando nuestras fosas nasales se bloquean constantemente, expresamos un deseo frustrado de ser reconocidos, y entonces siempre deseamos eliminar el bloqueo, que toma forma de mucosidad, que es una mezcla de moco y polvo. El moco representa sentimientos reprimidos y lágrimas endurecidas. Si es amarillo, significa que dichos sentimientos se infectaron o se volvieron tóxicos. Las lágrimas no derramadas se mezclan con mugre y "se te suben por la nariz". El niño que adquiere el hábito de picarse la nariz, está diciendo, a cierto nivel, que desea respirar libremente y deshacerse de las situaciones estancadas. La necesidad de reconocimiento puede estar haciendo que el mismo niño cree obstáculos o dificultades, por eso se da a la tarea de sacarse el pegajoso asunto. ¡Y comerse lo que saca...!

Hay un viejo dicho que reza que los niños que se pican la nariz tienen parásitos. Por lo tanto, es momento de hacer una "limpieza" física y emocional, y sacar lo que está carcomiendo al niño. No está de más que le hagas análisis para ver si tiene parásitos, consulta al pediatra. Una revisión con el pediatra es válida, para eliminar los posibles parásitos. ¡Quizá el viejo dicho es cierto!

Berrinches

Muy pocas mamás no pasan por el horror de ver a su hijo de dos años retorciéndose en el piso y gritando hasta desgañitarse en pleno centro comercial, una mañana de sábado, que es cuando hay más gente, sobre todo cuando las personas miran a la madre, mueven la cabeza y dicen: "pobre niño". Los minutos parecen horas, pues tu hijo no da señal de querer terminar con el escándalo, y te sientes profundamente impotente.

En realidad, a pesar de que se les llama "los terribles dos", los berrinches empiezan antes de los dos años y continúan varios años más. (¿Nunca has visto a un adulto hacer una rabieta cuando las cosas no salen como quiere?) Los berrinches son parte normal del desarrollo de un niño y, así como cada niño tiene su naturaleza, los grados y frecuencia difieren de niño a niño.

No me importa que los libros digan que tomes las rabietas como "oportunidades para educar", pues la educación es la última cosa en la que piensa un padre estresado cuando su retoño destroza a gritos el centro comercial. Por lo general, los berrinches tienen que ver con la oposición y la frustración. El niño quiere lo que no puede tener, escogió algo y no le fue concedido. Como adultos, la mayoría sabemos controlar la ira cuando no conseguimos lo que queremos (como cuando nuestra pareja se apodera del control remoto del televisor), sin enfurruñarnos o hacer una rabieta. No obstante, el niño no ha aprendido a lidiar con el deseo y la negación. A veces, la incapacidad de manipular el mundo es imposible de contener. El problema se exacerba cuando el niño está cansado, tiene hambre o no se siente bien.

A esta edad, los niños luchan con las decisiones. Piensan que quieren algo, y cambian de opinión cuando lo tienen. Esto les causa a ellos y a los padres más frustración. Conforme el niño empieza alejarse de la madre, aprende que son entidades separadas, y también se da cuenta de que tiene voluntad propia, que puede diferir de la de su mamá. Cuando ella no cumple la voluntad del niño, que acaba de aprender a comunicarse oralmente, es como discutir los puntos más sutiles de la arquitectura renacentista con una oveja. Simplemente no comprenden qué deseas. Para alguien que está desarrollando una voluntad propia, la frustración resultante es enorme.

Los berrinches manifiestan el deseo de controlar la voluntad de los demás, para salirse con la suya. Si pierden, se sienten sin poder. Si ganan, descubren que sólo tienen que destrozar el lugar a gritos para ganar la guerra. Si es sometido a demasiada disciplina, la voluntad del niño se rompe, las acciones independientes disminuyen y la autoestima paga el precio. Muy poca disciplina, y el niño se siente omnipotente (por ejemplo, un mocoso precoz). Toma una actitud tranquila y equilibrada para que tu hijo desarrolle una individualidad y una autoestima sanas.

Ceder es la receta segura para futuras rabietas. Es la opción más fácil, pero la más dañina. Ofrecerle un mínimo de opciones es una manera de evitar los berrinches, como: "¿Quieres jugo de manzana o de pera?". Si al niño le das la facultad de tomar decisiones, satisfaces su necesidad de independencia. No lo saques cuando esté cansado, se sienta mal o tenga hambre. Cuando haga una rabieta, analiza qué lo molesta. El hecho de que entiendas ayuda a calmar las cosas. A menudo, un abrazo también funciona. Trata de no perder la calma, porque el problema se exacerba si los dos gritan. Las nalgadas no funcionan porque le enseñas al niño que la violencia es correcta. Si te muestras tranquila, le pones el ejemplo de cómo esperas que se comporte. Los niños imitan a sus padres. El niño en edad escolar puede ser enviado a su cuarto para que se calme.

¿Por qué algunos niños hacen más berrinches que otros y continúan haciéndolos después de los dos años? Puede deberse a que tiene una fuerte voluntad, una naturaleza más agresiva, sabe que logra lo que quiere con una rabieta, escucha gritar a sus padres y aprende que es un comportamiento correcto, tiene ira reprimida, baja autoestima, padres muy autoritarios, dominantes o indisciplinados con pocos límites.

Las rabietas son una parte normal del desarrollo, pero, como todo en la vida, cuando son excesivas, indican que hay algo en la psique del niño o en su ambiente que está fuera de balance.

Notas

1. Bravuconería: Bullying Online: www.bullying.co.uk.
2. Psicóloga y escritora Judith, Anodea, p. 74, *Eastern Body Western Mind*, Celestial Arts, Berkely California, 1996.
3. Golpearse la cabeza: drgreene.com por el Dr. Allan Greene, y sintomatología infantil: Mecerse-golpearse la cabeza: www.aap.org/pubserv/rocking.html.

Capítulo doce

Más vale tarde que nunca

Demora y puntualidad

DEMORA

La demora es la tumba donde enterramos las oportunidades.

Autor desconocido

"Deja de molestarme, lo haré". ¿Cuántos hemos dicho esto en algún momento de nuestra vida, sólo para recordar una semana después que no hemos hecho lo que nos pidieron? ¿Cuántas veces tienes mucho trabajo que hacer, y te das cuenta que has pasado horas platicando con un compañero de trabajo sobre los resultados del fútbol? Cuando se acerca la fecha de entrega, ¿te sientas indolente frente al televisor para ver la tercera repetición de *Qué tan limpia está tu casa*?

La demora es casi una epidemia entre la raza humana, pues una de cada cinco personas es considerada demorada crónica. La llegada de internet ha dado a quienes acostumbran retrasarse una mejor oportunidad de distraerse por horas, en lugar de hacer el trabajo requerido. Es mucho más divertido revisar los correos electrónicos, jugar, ver unas cuantas páginas web, registrarse en otro servicio de citas por internet o chatear. La investigación realizada por Tim Pychyl y Jennifer Lavoie, su asistente, de la Universidad de Carleton, demuestra que, en vez de incrementar nuestra productividad, el 47% del tiempo que pasamos en línea es para no trabajar.[1] Es una gran reducción del promedio de vida laboral de un empleado.

La administración del tiempo y las demoras no están tan íntimamente relacionadas como suponemos. Casi todas las personas que se retrasan saben muy bien lo que deberían estar haciendo, incluso cuando están jugando con su PlayStation. Entonces, ¿por qué los demorados se retrasan?

La característica más importante de las personas que se demoran es la baja autoestima, que se disfraza de diversas formas. Cuando la autoestima es baja, inevitablemente el ego es grande. ¿Por qué? Porque para compensar la sensación de incompetencia, necesitamos inflarnos. Para lograrlo, nuestro ego crea un mundo donde puede vivir a expensas de nuestro yo superior. Aunque esto no quiere decir que la baja autoestima es exclusiva del demorado. La mayoría sufrimos baja autoestima en una u otra área, puede ser nuestro cuerpo, logros, falta de habilidades, no tener hijos o relaciones fallidas. Sin embargo, en el caso de la demora, hay muchos atributos de la baja autoestima involucrados, mientras que en otro comportamiento intervienen algunos.

Nuestra baja autoestima, y no nuestro yo superior, predomina en el retraso en forma de:

- Falso optimismo y autoengaño, vemos las cosas como quisiéramos que fueran y no como son.
- Goce del pánico–manejo de crisis.

- Creencia de que necesitamos ser perfectos.
- Miedo a fracasar.
- Culpa.
- Autocompasión–sentimos que somos las víctimas.
- Intento por controlar o manipular a otro–necesidad de poder.
- Culpa por no hacer lo que debemos, tanto en el pasado como en el presente.
- Falta de tiempo, estamos "muy ocupados".
- Sensación de que la tarea es muy inferior para nosotros, creemos que somos inferiores a la tarea.
- Obstinación.
- Carencia de habilidades o conocimientos, medimos la tarea.
- Aburrimiento.
- Resistencia pasiva.
- Necesidad de agradar a otros, aceptamos más de lo que podemos hacer.
- Resistencia al cambio.

MOTIVOS DE LA DEMORA

El optimismo es a menudo parte del problema. La persona que se demora cree que cumplirá con las fechas de entrega y hace que sus colegas, y él mismo, se confíen y caigan en una falsa sensación de seguridad. El tiempo pasa, y, sin darse cuenta, ya es hora de entregar el proyecto.

Manejo de crisis. ¿Te gustan los deportes extremos? ¿Has escalado el Monte Everest y el K2 sin oxígeno? ¿Necesitas hacer paracaidismo? Entonces quizá, sólo quizá, eres adicto a las emociones fuertes, pero la vida te puso en una oficina pequeña donde tienes que escribir una tesis sobre los hábitos nocturnos de los osos hormigueros. Qué mejor forma de expresar tu gusto por las emociones fuertes, que olvidar la tesis hasta la noche anterior a la fecha de entrega. Después de todo, si la libras, saltar en bungee de la Estatua de la Libertad no será ningún problema. En realidad, lo que disfrutas es desafiar al pánico. La carrera de dentista, con especialización en el tratamiento de niños menores de cinco años con problemas de comportamiento, es para ti.

Aquí es donde las cosas se descomponen, porque el individuo que se demora se tranquiliza con frases como: "Trabajo mejor bajo presión" o "Cuando las cosas se ponen difíciles, los difícil hace que las cosas se hagan".

Cuando trabajé para una empresa de publicidad internacional, vi que este patrón se repetía una y otra vez. El director creativo evitaba las reuniones de información, hasta un día antes de la presentación. Entonces, había actividad toda la noche para organizar la campaña, lo que causaba un gran estrés y una dudosa calidad en el trabajo. Al día siguiente, agotados, todos se iban al bar para celebrar que habían terminado la campaña, mientras las fechas de entrega de otros trabajos pendían como negras nubes sobre nuestras cabezas.

Curiosamente, a menudo las campañas tenían éxito y nosotros nos burlábamos de la incapacidad del cliente de detectar nuestra falta de compromiso. La aceptación reforzaba el éxito de esta forma de trabajo, y poco se hacía para cambiar el método "manejo de crisis" con el que trabajábamos. El director creativo se sentía invencible porque luchaba contra las probabilidades y ganaba, lo cual es bastante adictivo, necesitamos la prisa, la presión y la sensación de logro. Eso alimenta nuestro ego.

El **autoengaño**, que está íntimamente relacionado con el optimismo, reina entre las personas que se demoran. Como es una extensión de nuestro ego, difícilmente admitimos que nos retrasamos, por el contrario, siempre encontramos la excusa perfecta para justificar por qué no terminamos la tarea asignada. Vivimos en un mundo falso, que mantenemos con frases como: "Funciono mejor bajo presión", "Si no lo haces perfecto, entonces no hagas nada", "Tengo otras cosas que hacer", "Tengo que aclarar mis ideas antes de empezar" o "No es justo que yo tenga que hacer esto", entre muchas otras.

Para superar el autoengaño y el falso optimismo, necesitamos vernos durante largas horas frente al espejo emocional. Pregúntate por qué te demoras en terminar las tareas. Después escribe una refutación junto a las respuestas. Sé honesto contigo, tal vez no te agrade, pero es parte del proceso.

Entonces, nuestro ego nos exige estándares muy altos y dudamos de nuestra capacidad para producirlos, nos quedamos como un puerco espín asustado, hecho bolita, negándonos a movernos. El ego pide perfeccionismo, sólo que el ego es juez y parte y, por lo tanto, no importa qué hagamos, el resultado siempre le parecerá inadecuado. En lugar de enfrentar este demonio de nuestra creación, evitamos la tarea. Para solucionar los problemas de perfeccionismo, debemos aceptar que nada en el universo puede considerarse perfecto, ya que cada persona tiene su propia opinión de lo que es perfecto. A algunos hombres les gusta Posh, a otros Britney, a otros ninguna de las dos. Para que algo sea perfecto, debe estar completo. Y en el universo nada está completo. Cuando morimos, nuestra vida termina y aun así, en cierto sentido, continuamos viviendo. El día muere, pero renace doce horas después. Buscar la perfección es buscar una ilusión, porque todo es perfecto o nada lo es.

Retrasar el inicio de un proyecto por miedo a que no sea perfecto, es esperar algo que nunca sucederá. Cuando terminé de escribir y publicar mi último libro, hubo muchas cosas que quería agregar. Así son las cosas, todo es un trabajo en proceso. Por lo general, desear la perfección es una forma de ocultar que no confiamos en nosotros mismos.

Una amiga tenía un esposo al que le tomaba siglos escribir la más sencilla de las cartas, por ejemplo, al plomero para solicitar una factura. Permanecía despierto toda la noche pensando cuáles serían las palabras correctas, para terminar lleno de papeles arrugados y sin haber escrito la carta.

Recuerda que el miedo siempre se esconde detrás del perfeccionismo. Enfrentar nuestros miedos y permitirnos el derecho de ser humanos, paradójicamente, nos hace personas más felices y más productivas.[2] Dr. David M. Burns.

También nos da **miedo fracasar**. Como no quiere admitirlo, el ego, o yo inferior, lanza un duro ataque contra todos aquellos que consideramos culpables de nuestra incapacidad para terminar una tarea. Sentimos que somos víctimas de las circunstancias o de las demandas de otros: "¿Por qué me da sólo dos semanas para terminar este trabajo?", "Es su culpa que no empiece a trabajar", "No entiende que es muy complejo", "No entienden que necesito tiempo para analizar el trabajo", "Siempre me asignan la peor tarea". En lugar de buscar en nuestro interior, buscamos afuera el motivo por el que no terminamos la tarea, y nos compadecemos por la infortunada situación que nos tocó resolver. El temor a fracasar también hace que nos resistamos a iniciar un proyecto porque podemos fracasar. En lugar de enfrentar esta realidad, la retrasamos.

Somos muy buenos para minimizar nuestros logros y, cuando la situación nos ofrece la oportunidad de sacarnos de nuestro estatus de víctima y convertirnos en ganadores, la saboteamos: "Supe desde el principio que iban a ir sobre mí, por eso consideré que no tenía sentido terminar el informe, aunque me dijeron que me promoverían si lo hacía". Esta es la típica forma de sabotearnos. Pregúntate por qué te asusta tanto el poder o el éxito. ¿Sientes que te rechazarían si tienes éxito? Cuando eras niño, ¿constantemente te decían que no eras bueno? Quizá responder estas preguntas te ayude a entender por qué prefieres fracasar a tener éxito.

No hay mejor forma de **controlar y manipular** a los demás que retrasar deliberadamente el inicio de un proyecto. Esto funciona muy bien con grupos o equipos, donde tu participación es esencial para el resultado. Simplemente, te sientas y no haces nada, sólo observas cómo aumenta el estrés en los que te rodean. Una forma segura y destructiva de alimentar tu ego, es haciendo que todos se den cuenta de lo mucho que te necesitan y lo importante que eres para el proyecto.

Esto quedó perfectamente demostrado en un taller de arte que impartí. Cada equipo tenía que hacer un retrato de sí mismos en una hoja grande. El tiempo era de cinco minutos por grupo. Una participante, cuyos problemas de autoestima saltaban a la vista, fue la primera en tomar el pincel y tardó una eternidad en pintarse a sí misma a costa del resto del equipo, y un par de integrantes no pudo pintar porque se acabó el tiempo. En las discusiones posteriores al ejercicio, se hizo evidente que era un patrón que existía en el trabajo y causaba mucha ira y frustración entre sus colegas. Se retrasaba en capturar los informes que sus compañeros requerían para continuar, y usaba un tiempo valioso que sus colegas debían compensar trabajando hasta tarde y/o incumpliendo las fechas de entrega. Como su función no estaba al final de la tarea, no enfrentaba los problemas cuando la gerencia no recibía el trabajo a tiempo. Entonces, seguía ejerciendo una buena cantidad de fuerza manipuladora, que a los demás les provocaba impotencia.

Sentirse **culpable** por decepcionar a los demás o por no cumplir con las fechas de entrega, es un buen lugar para estancarnos, si así lo decidimos. En lugar de pasar al siguiente proyecto y cumplir mejor con los tiempos, usamos la culpa como excusa para no iniciar algo. "Me siento muy mal por haberle fallado a todos". Nosotros somos malos, ellos buenos. Vivimos una existencia tan polarizada, que nos da miedo actuar por temor a repetirla. Ningún placer nos produce el nuevo desafío porque, embargados por la culpa, nos castigamos y nos obligamos a contenernos para no disfrutar la nueva tarea. El trabajo que no se disfruta es poco atractivo, así que nos resistimos al proceso diciendo cosas como: "Esto es lo que me merezco".

Como nos sentimos sin fuerza, nuestro ego busca cómo darnos ánimo, y qué mejor forma de creer que somos tan solicitados, que no tenemos tiempo para preocuparnos por los pequeños detalles de una fecha de entrega: "Estoy tan **ocupado** trabajando en los planes para la reorganización de la compañía, que los insignificantes requerimientos para hacer las tareas para las cuales fui contratado, son superfluos". "Si espero hasta que se acerque la fecha límite, no tendré que desperdiciar tanto tiempo en eso". Creamos *ocupaciones* para exagerar nuestro *papel e importancia*, y poder justificar por qué estamos tan ocupados y desperdiciamos el tiempo que pudimos emplear para trabajar.

El ego nos hace creer que la tarea que nos asignaron es **inferior** a nosotros. Por eso, en vez de hacerla, lo que denigraría a alguien de nuestra posición, la evitamos. Si la hiciéramos y fracasáramos, tendríamos que enfrentar nuestra incompetencia, que tanto trabajo nos ha costado ocultar. El otro lado de la moneda es creer que somos inferiores, y por lo tanto estamos destinados a fallar en la tarea asignada: "Cada vez que intento algo nuevo, fracaso". Por supuesto, nos resistimos a intentar cosas nuevas.

La **obstinación** es otra forma de resistirnos a hacer el trabajo. Cuando nos sentimos pequeños, repelemos a quienes aparecen para presionarnos. "Necesito estar en el espacio adecuado para hacer este trabajo, y en este momento no estoy en ese espacio, así que no haré el trabajo". "¿Con qué derecho me dice qué debo hacer?". "Relájate, no te preocupes; el mundo no se acaba si no terminas". Al no cumplir, le demostramos a la otra persona que no puede someternos. Pídele a tu hijo de nueve años que limpie su cuarto y verás esta reacción.

Con frecuencia, creer que no tenemos la capacidad o el conocimiento requeridos para realizar una tarea, es un factor determinante para la demora. Si a los ángeles les da miedo desplazarse, sólo los tontos se apresurarían a empezar ese trabajo. ¡Mejor retrasemos el proceso, y con suerte los ángeles se lo llevarán! También nos han educado con la creencia de que no podemos hacer nada, se trate de pintar o de cocinar, si no tomamos un curso o tenemos un grado académico, porque sólo así contaremos con las habilidades requeridas. Cuando niños, aprendimos este comportamiento: "Si no estudias, no pasas los exámenes". Y cargamos con este concepto hasta la vida adulta, que con frecuencia impide que iniciemos algo.

Carolyn Myss, escritora, maestra de metafísica, e intuitiva, dice: "Si tienes la inspiración, tienes el talento".[3] La falta de capacidad es un gran inhibidor cuando se trata de hacer realidad un concepto. Muchos sueños valiosos no se cumplen por eso. Una persona a quien admiro, lo explica así: Averigua qué es lo que más miedo te da hacer y hazlo. Eso nos hacer crecer a grandes saltos, igual que a nuestra autoestima.

A veces, llenos de entusiasmo, nos proponemos realizar tareas de grandes proporciones, como: "En un mes, voy a bajar 10 kilos, dejaré de fumar y beber e iré al gimnasio cuando menos seis veces por semana". La idea es buena, pero el tamaño es abrumador; obviamente, lo retrasamos, los meses se vuelven años y seguimos fumando, bebiendo y parecemos ballenas varadas en la playa. Si hubiéramos elegido una parte pequeña de la tarea y la hubiéramos concluido, la satisfacción de haberlo logrado nos impulsaría a realizar la siguiente parte, y así sucesivamente. Por ejemplo, podríamos acordar beber sólo dos cervezas en la noche y eliminar la crema de nuestra dieta. Cada tarea terminada, incrementa la autoestima y nos permite lograr la siguiente meta. El siguiente cuadro lo demuestra:

Fortalecimiento de la autoestima a través de la puesta en práctica de nuestras ideas

IDEA	BLOQUEO	AVANCE
¿Cuál es la intención de la idea?	Falta de confianza en uno mismo/en la vida, incapacidad para ver la imagen completa	Abrirse a nuevas ideas y potenciales
¿Tengo el conocimiento y la percepción requeridos?	Cerrarse a nuevas ideas, incapacidad para autoevaluarme con honestidad	Recolección de conocimientos
¿Cómo voy a manifestar/crear esta idea?	Falta de voluntad para lograr el éxito; me juzgo y me critico	Mejor capacidad para manifestar las ideas
¿Tengo puesto mi corazón en esto?	Fracasos anteriores/ compromiso	Capacidad para creer en uno mismo, soltar
¿Qué efecto tendrá en mí, como individuo, el cambio producido al hacer realidad esta idea?	No sentirse capaz/ sensación de incompetencia	Aumento de la autoestima, disminución del miedo a fracasar
¿Cuánto me va a costar en términos de dinero, tiempo y esfuerzo?	Culpa por pérdidas pasadas/expectativas de fracaso	Recompensa: $$$$, posición, poder o sensación del logro
¿Cuánto estoy arriesgando?	Problemas de seguridad/temor	Encontrar seguridad dentro de uno mismo

Cada vez que progresamos, incrementamos nuestro potencial y nuestra autoestima, aunque la idea no se materialice según la planeación original. Cada vez que nos impedimos superar el bloqueo, reducimos nuestra capacidad futura y el potencial para explorar nuevas ideas.

En el mundo hay tareas que simplemente son aburridas, como levantar los deshechos del perro del jardín y tender la ropa lavada. No son las tareas más agradables, sobre todo si el perro comió algas y le alteraron la digestión. Es natural retrasar estas labores todo lo que sea higiénicamente posible, aunque siempre podemos elegir el aburrimiento. Todo depende de cómo veamos un proyecto. Terminar las cosas puede producirnos una gran satisfacción, aunque el nivel de emoción-desafío sea cero. Si hacemos una lista de las tareas que hay que hacer, preferimos escoger las que se encuentran al final, simplemente para evitar aquellas que están al principio. Al manipular esta preferencia natural, logramos hacer casi todas las tareas, si no es que todas. Por ejemplo, tener que recoger los deshechos del perro, no hizo que terminara este libro, pero me ayudó porque me dio la oportunidad de dejar de escribir un rato y de saber que algo se había concluido.

En el programa de la BBC que ya he mencionado, *¿Qué tan limpia está tu casa?*, muchos participantes retrasan la tarea de limpiar su casa hasta que toma proporciones gigantes, y no saben por dónde empezar. En estos casos el método de dar pequeños pasos funciona muy bien.

Resistencia pasiva:

–Querido, por favor saca al perro.

–Mmm –responde él, absorto en un programa de televisión, mientras sin mayor preocupación acaricia el control remoto.

–Querido, te pedí que sacaras a Fifí.

–Sí, sí, ya voy.

Pero Fifí sigue adentro. Pasan 20 minutos, la tensión y el enojo han aumentado considerablemente.

–Henry, estoy preparando la cena, saca al perro antes de que ensucie la casa.

Te presento a la resistencia pasiva. Cuando no queremos enfrentar a alguien directamente por la forma como socava nuestro sentido del ser, o cuando sentimos que son más importantes, seguros que nosotros, nos da miedo decir un "no" rotundo. Así que para desafiar su autoridad, nos demoramos para hacer lo que nos piden. Por dentro, estamos enojados, pero no podemos expresarlo y, en algunos casos, nos conectamos con la ira y saboteamos sus deseos. Sentimos que es la única forma de enfrentarlos.

Quizá estamos enojados o resentidos con alguien, y retrasar un proyecto es una manera inconsciente de vengarnos.

Aprender a decir "no" es un límite que pocos sabemos poner. Por eso, aceptamos más y más trabajo, aunque sabemos que no lo terminaremos. Pero es más fácil que decir "no". También es producto de una baja autoestima, pues queremos complacer a los demás para ganarnos su aprobación, y nos sentimos culpables si decimos que no. Con eso, nos imponemos una enorme presión y estrés porque no podemos terminar todos los pendientes y nos resistimos a empezar, lo que por lo general es una forma pasiva-agresiva de regresarles la presión que nos han causado.

Por ejemplo, ¿qué pasaría si termináramos una tarea ardua y larga? Bueno, quizá perdamos una promoción, poder, reconocimiento o cualquier otro resultado positivo que generará un cambio. Entonces, saboteamos el resultado negándonos a terminar la tarea. No porque no podamos hacerla, sino porque terminarla es sinónimo de cambio y, para nosotros los humanos, es tan agradable como escalar el Everest con zapatos de tacón.

No podemos pensar en el futuro si hoy tenemos tanto que hacer. Así que nuestra **resistencia al cambio** se debe a nobles razones: "Sí, sé que prometí hacer esto y aquello, pero estoy hasta el tope de trabajo y no puedo pensar en eso ahora". Tenemos que cambiar si queremos crecer emocional, mental y espiritualmente, no obstante, lo retrasamos con cada fibra de nuestro ser y nos echamos más carga sobre los hombros. Esto también se refleja en los padecimientos crónicos que presentan con mayor incidencia las personas que se retrasan, como: insomnio, mala alimentación, problemas digestivos, resfriados, altos niveles de depresión y baja autoestima.[4]

La demora se divide en tres categorías: física, emocional y mental. Por eso, retrasamos físicamente salir a caminar, dormir o ir al cine. Emocionalmente, nos demoramos refugiándonos en el alcohol, las drogas, leyendo revistas baratas, o escapándonos de la realidad para no terminar nuestra tarea. Mentalmente, inventamos muchas razones para no hacer el trabajo: "Creo que tengo que comprar más huevos, necesito inspirarme, o lo empiezo mañana".

Para dejar de **retrasarnos**, necesitamos:

1. Ser honestos con respecto a la causa del retraso.
2. Escribir los motivos (la lista que se menciona al principio del capítulo) de la demora.

3. Enfrentar estas razones. No te disculpes a la ligera. Superar una baja autoestima requiere disciplina. Date cuenta que es tu ego el que habla cuando dices: "Lo hago mañana" o "Primero necesito divertirme, relajarme, fumar, tomar café". El ego es hedonista, no permitas que te rija.
4. Escribe las **consecuencias** de no terminar la tarea a tiempo.
5. Divide la tarea en pedazos pequeños, **fija metas realistas**.
6. **Empieza** a trabajar.
7. **Afirma** tus acciones positivamente.
8. **¡Recuerda que el éxito genera más éxito!**

Puntualidad

¿Tus amigos te citan para cenar una hora más temprano que al resto de los invitados porque saben que llegarás tarde? ¿Has recibido muchos memos de tu jefe amenazando con despedirte porque llegas tarde? ¿Eres el tipo de persona que, en su deseo por llegar a tiempo, encuentra a su anfitriona empapada y envuelta en una toalla, aunque te asegura que está bien que hayas llegado unos "minutos antes"?

Todas las culturas tienen diferentes conceptos del tiempo. En Alemania, si llegas tarde ofendes profundamente al anfitrión, mientras que en América Latina causas una gran sorpresa si llegas puntualmente.

Los psicólogos sociales atribuyen las diferentes perspectivas del tiempo a las costumbres culturales, religiosas y personales de las diferentes culturas. Incluso existe la teoría de que quienes viven más lejos del ecuador tienden a ser más cuidadosos con los ciclos para sembrar las cosechas que aquellos que viven más cerca; si siembras muy pronto o muy tarde, la nieve y las heladas pueden acabar completamente con las cosechas. Esta es una de las razones por las cuales la gente del Mediterráneo le da menos importancia al tiempo que la gente que vive más al norte.

La puntualidad, o la falta de ella, es contagiosa. Basta que una persona llegue siempre tarde a una junta, para que, con el tiempo, los demás resten importancia a ser puntuales. En Ecuador se aplicó este concepto, todos sincronizaron sus relojes como parte de una campaña nacional dirigida a inculcar en la población la ética de llegar a tiempo. Según un estudio, el retraso crónico le costaba $2.5 millones por año a Ecuador, una cantidad considerable para un país cuyo producto interno bruto es de $24 mil millones.[5]

Llegar tarde se relaciona con el control y el poder. ¡Ninguna diva que se respete a sí misma llegará a tiempo! La palabra "puntual", viene del latín *punctualis*, que a su vez se deriva de *punctum*, que significa "punto". Si llegamos tarde, ¿nos perdemos el punto? Cuando somos puntuales, entendemos el punto. Si siempre llegamos tarde o retrasados, debemos analizar qué hay detrás de nuestro comportamiento. En muchas ocasiones he caminado por el pasillo de la iglesia, después de la novia, ¡por eso este comportamiento me vuelve loca!

Igual que la demora, la impuntualidad refleja falta de autoestima, la cual afecta nuestra integridad, porque nuestras palabras no corresponden con nuestras acciones. Como nos sentimos incompetentes, nos damos fuerza fingiendo que somos muy importantes. ¿Qué mejor forma de manipular a otros que hacerlos esperar y perder su tiempo, mientras nos ocupamos de algo más importante?

No obstante, existen varios arquetipos del que llega tarde, quizá te identifiques con alguno. Ésta es la lista:

- Ego viajero
- Diva
- Persona muy ocupada
- Resistente pasivo
- Jinete espacial

Arquetipos y puntualidad

Cuando nos sentimos menos, tenemos que hacernos sentir más. A nuestro ego le encanta, y crea situaciones maravillosas para hacernos tropezar. Sentimos que, como parte de nuestro rol en la vida, está bien que hagamos esperar a los demás. Después de todo, su tiempo es menos valioso que el nuestro. Y si no están conscientes de ello, nos aseguramos de que lo estén, llegando tarde. Para nosotros es muy aceptable, no importa que se trate de un amigo o un colega.

La **diva** es muy parecida al ego viajero porque, debido a su "fama", no importa que sea la sobrina del presidente de la empresa o una celebridad, siente que tiene derecho a "hacer su entrada". Quizá estaba lista hace siglos, pero el cálculo cuidadoso del tiempo le asegura una entrada triunfal que nadie puede perderse.

La persona que se cree muy **ocupada**, sólo es eso. Piensa que, al hacer creer a la gente que siempre anda de prisa, parece que trabaja mucho y es un elemento muy valioso para la empresa. A menudo, el individuo que simula estar muy ocupado lo hace para ocultar su incapacidad para hacer el trabajo. Si está ocupado, es porque es bueno. Estar demasiado ocupado puede ser resultado de haber aceptado demasiadas responsabilidades o tareas, aunque sabe que no terminará a tiempo. Decimos: "Tengo que hacer esto y aquello. Entonces, también puedo detenerme en X lugar y dejar esto, y ya que voy allí, puedo pasar al correo y pagar la luz". Antes de que te des cuenta, un simple viaje se vuelve muy estresante porque quieres resolver todo, lo que sólo te retrasa para tu cita. En ocasiones, esto es producto del deseo de estar haciendo cosas constantemente para no tener que enfrentar lo que realmente es importante en la vida. Manteniéndonos ocupados, alejamos a las cosas menos agradables y las preocupaciones emocionales. Puede también ser el resultado de creer que nadie más tiene la capacidad que nosotros para hacer una tarea, que es el otro lado de la moneda de la autoestima.

El **resistente pasivo** no quiere hacer aquello a lo que se comprometió. Llegar tarde es una forma de resistencia no verbal, sin confrontación, a lo que deseamos evitar. Por ejemplo, digamos que tu tía Laura te invita a tomar el té con la familia. La última vez que tuviste el placer, ella y tus primos pasaron toda la tarde preguntándote cuándo pensabas casarte y buscar el trabajo "adecuado". Sobra decir que en esta ocasión no tienes nada de ganas de ir, y encontrar cosas que hacer es una forma de decir: "Sí voy, pero bajo mis términos".

El **jinete espacial** está tan ocupado buscando nuevas teorías de la relatividad o sucesos artísticos únicos, que el tiempo no le importa. El jinete está tan ocupado flotando en los reinos del pensamiento conceptual, que no aterriza. Por lo tanto, no llega tarde, sino que el tiempo, como nosotros lo entendemos, no existe para él y es imposible que llegue tarde, o temprano. Llega cuando llega.

El que llega antes

Mejor llegar tres horas antes que un minuto tarde.
William Shakespeare,
***Las alegres comadres de Windsor*, Acto 2, Escena 2**

¿No lo odias? El platillo con castañas que inventaste se quemó completo, el gato se comió el postre, el bebé te embarró toda la ropa con comida, y tu esposo grita como loco que no tiene camisas limpias, cuando suena el timbre de la puerta. ¡Tarán! Tu primer invitado llegó... ¡15 importantes minutos antes! Debes recuperar la calma y lucir relajada, como si la mancha de la comida para bebé fuera la marca de un verdadero chef, para poder decirle: "No, claro que no hay ningún inconveniente".

Entonces, ¿por qué la gente llega temprano? Igual que el que llega tarde, tiene que ver con problemas de baja autoestima y control. Al llegar temprano, ganamos una ventaja territorial. Analizamos el terreno y elegimos nuestro espacio, para sentirnos más seguros. Al llegar temprano, simbólicamente no estamos en el presente. El que llega tarde quiere escapar al futuro, nosotros nos aferramos al pasado. Estamos ansiosos por no llegar tarde porque no queremos ofender a los demás. Pero al llegar temprano, hacemos justo lo que no queríamos.

Conserva tu integridad y respeta tu código de honor, lo que significa llegar a la hora acordada. Si llegas temprano, da un paseo. Llegar a tiempo es una muestra de respeto hacia el proceso o persona a quien visitas. Si no demuestras respeto, ¿cómo esperas tener una relación respetuosa?

Notas

1. "Después de haber pasado algún tiempo en los laboratorios de cómputo de la universidad, donde descubrió que la mayoría de los estudiantes hacían todo, excepto lo que debían hacer, Pychyl se interesó por el efecto que la red de cómputo tenía sobre la productividad. Él y Jennifer Lavoie, una alumna graduada, realizaron una encuesta entre quienes navegan internet sobre su hábito de trabajar en línea. Cuando tabularon los resultados, al final del año pasado, Pychyl y Lavoie, descubrieron que el 47% del tiempo que pasamos en línea, es para evitar trabajar". Tomado de: *Cyberslacking and Procrastination Superhighway, a Web-based Survey of On-Line Procrastination, Attitudes and Emotion*, por Jennifer A.A. Lavoie, Simon Fraser University, and Thimothy A. Pychyl, Carleton University, 2001, Sage Publications.
2. Dr. David M. Burns autor de *Feeling Good: The New Mood Therapy*, extraído de: www.quotationspage.com.
3. Citado de: http://myss.com/myss/dailymsgarch.asp.
4. "Los estudiantes universitarios que se retrasan en sus trabajos escolares tienen problemas para dormir, mala alimentación y patrones de ejercicio poco saludables, según uno de los varios estudios presentados la semana pasada por los eruditos en la reunión anual de la Asociación Psicológica de Estados Unidos". *Procrastination in College Students in a Marker for Unhealthy Behaviors, Study Indicates*, por David Glenn, *The Chronicle of Higher Education*, 2002. www.physics.ohio-state.edu/-wilkins/writing/Resources/essays/procastination.html.
5. De la página financiera de *The New Yorker* – Punctuality Pays, por James Surowiecki 2004-03-29.

Capítulo trece

Los juegos que jugamos

HÁBITOS MANIPULADORES

Cuando queremos manipular a alguien, es posible que el miedo nos impulse a hacerlo. Si creemos que nuestro mundo está fuera de control y nos sentimos impotentes y débiles (con miedo), tratamos de recuperar el poder controlando y manipulando a quienes nos rodean. Entre más logramos que hagan lo que queremos, más poder sentimos y el miedo disminuye. Sin embargo, si tú eres la persona manipulada, es probable que respondas negativamente y molestes al manipulador, que tendrá que esforzarse más para controlarte. Así se perpetúa el ciclo, hasta que el manipulador o el manipulado deciden dejar de jugar. Con mucha frecuencia, sobre todo en una relación emocionalmente dependiente, jugamos ambos papeles: el de manipulador y manipulado.

Siendo un juego que requiere un mínimo de dos participantes, cuando una de ellas reconoce el patrón de lo que está sucediendo, o aumenta su autoestima y ya no necesita manipular, el juego se acaba.

Entonces, analicemos algunas de las formas más comunes en que disfrutamos manipular a los demás.

MENTIRAS

La verdad es Dios.
Mahatma Gandhi

En las muchas pláticas que he dado sobre los hábitos, la gente acepta que tiene muchos hábitos, desde morderse las uñas hasta jugar con el cabello, pero sólo una tuvo el valor de decir: "Yo miento". Pero dudo que haya una persona que pueda decir con honestidad que nunca ha mentido, aunque sea a sí misma. "No hay problema", si hay uno, o "Lo haré mañana" y no lo hacemos, o "Todo está bien", cuando no es cierto... Todo esto es parte de la red de mentiras que creamos, consciente o inconscientemente.

Es interesante saber que la palabra "mentir" tiene un doble significado. Por un lado significa inducir, y por el otro, decir algo que no es cierto. La relación entre ambos significados se encuentra si analizamos el origen de la palabra. "Mentir" está relacionada con la palabra hitita *laggari*, que significa "inducir-caer". Entonces, cuando mentimos al no decir la verdad, "caemos" espiritualmente. Y eso retrasa nuestro progreso. Si actuamos contra nuestra conciencia, lo que hacemos cuando mentimos, producimos karma o consecuencias negativas para nosotros. Si sembramos mentiras, cosecharemos falsedades.

¡El ego!

Mentimos casi siempre por culpa del ego. Quiere que vean que somos inteligentes, ricos, importantes, populares y poderosos. Si percibimos que la realidad no empata con esas expectativas, recurrimos a la mentira para fabricar el mundo en el que nuestro ego desea que vivamos. Con el tiempo, la ilusión que creamos a través de nuestra red de mentiras y la realidad se entrelazan tanto, que hasta a nosotros nos cuesta trabajo diferenciarlas. Entonces, mentir se convierte en una forma de manipular a los demás para que crean nuestro mundo falso. Los niños lo hacen a menudo cuando dicen cosas como: "Mi papá es el mejor jugador de fútbol", o "Soy karateca cinta negra". Nada es cierto, pero el niño quiere que sea verdad. Entre más repite la mentira, más se convence de que es la verdad, no solo para él, sino también para quienes lo escuchan (o eso espera).

Por qué empezamos a mentir

El hábito continuo de mentir empieza cuando somos niños porque, igual que todos los niños, confiamos en que mamá satisfará nuestras necesidades. No obstante, si ella, por falta de interés o por las circunstancias, no nos protege, nos enojamos. Expresamos esta ira llorando, y si no obtenemos respuesta, nos produce tristeza y finalmente hace que nos resignemos a aceptar que nuestro principal protector no es capaz de satisfacer nuestras necesidades. A partir de entonces, cada vez que lloramos porque tenemos hambre y no obtenemos respuesta, en lugar de enfrentar la realidad de que nuestra madre no está ahí para nosotros, nos decimos que no tenemos tanta hambre.

Los niños pequeños siempre se consideran la causa principal de lo que ocurre en su vida. Si mamá está muy ocupada en la oficina, o papá huye con la joven rubia de contabilidad, de alguna manera el niño siempre se siente responsable. Cree que sus necesidades no son satisfechas a causa de su comportamiento, y se culpa en lugar de admitir que mamá o papá son imperfectos. Su autoestima sufre o no se desarrolla, y entre más baja es la autoestima, más grande es su potencial para mentir.

La línea entre la verdad y la mentira empieza a desvanecerse y el patrón de mentiras se consolida, mientras intentamos reconstruir nuestra autoestima mintiendo. Si nos descubren, no asumimos la responsabilidad y culpamos a los demás. Por lo tanto, somos víctimas de las acciones de otros, porque es menos atemorizante que enfrentar nuestros demonios. Aunque sabemos que mentimos, justificamos nuestras acciones diciendo que, "dadas las circunstancias", no tuvimos otra opción.

Los niños que oyen mentir a sus padres aprenden que es correcto. Entonces, si mamá dice que no saldrá y luego se escapa, o papá dice que jugará a la pelota pero se sienta frente al televisor, el niño empieza a conocer dos cosas: el engaño y que está bien mentirles a los demás.

¿Vives con la verdad?

¿Mientes para levantarte el ánimo? ¿Confías en el proceso de la vida? ¿No confías en ti ni en los demás? ¿Prefieres evitar los conflictos y por eso mientes? ¿Te mientes a ti mismo para no tener que cambiar y volverte honesto?

Vivimos nuestra verdad cuando tenemos la capacidad de manifestar lo que necesitamos porque, según la tradición oriental, el centro de la verdad y la manifestación está en el mismo sitio del cuerpo: la garganta.

Las escrituras hindúes[1] dicen que aquellos que sólo hablan con la verdad, desarrollan la capacidad de materializar sus palabras, como en el principio era la palabra,[2] cuando Dios simbólicamente "habló" para que el mundo se creara.

La gente que miente compulsivamente, por lo general lo niega y no acepta que tiene un problema. Sin embargo, si tienes el valor de reconocer que sigues este patrón, las siguientes sugerencias te ayudarán a trabajarlo.

Mantén un registro escrito de cada mentira, no importa que tan pequeña parezca. Junto a la mentira escribe qué crees que te motivó a no ocultar la verdad. ¿Fue el miedo? ¿La ambición? ¿La incompetencia? ¿La venganza? ¿Deseabas levantarte el ánimo? No te juzgues, simplemente reconoce la mentira y su motivo. Sé compasivo contigo, después deja ir. Perdónate a ti o las personas involucradas, y sigue adelante. Conservar este diario hará que prestes más atención a tus mentiras y a los motivos que te llevan a decirlas. Reconoce que, cada vez que actúas en contra de tu conciencia mintiendo, creas un desequilibrio que se rectifica sólo cuando te dicen una mentira. Así que la siguiente vez que alguien te pregunte si su cheque está listo, nada más di: "Todavía no, lo siento", así no produces karma y te quedas con la conciencia tranquila (y no se detiene tu progreso espiritual).

Críticas

La palabra "crítica" viene del latín a través del griego *krites*, que significa "juez". Cuando criticamos a una persona, la juzgamos o señalamos con el dedo. Aplica el viejo adagio de que con un dedo apuntamos a alguien, y con tres nos apuntamos a nosotros, pues lo que nos desagrada de otra persona inevitablemente es un reflejo de lo que no nos agrada de nosotros.

Lo que nos desagrada de otros, nos desagrada de nosotros

Entre más criticamos a los demás, más demostramos que nos desagradamos. Cuando entendemos esto, es más fácil compadecer a la persona que crítica, porque sabemos que en realidad se critica a sí misma. La persona a la que juzga refleja sus propios problemas. Entre más nos desarrollamos y trabajamos las áreas que nos desagradan, menos criticamos a otros. Sin embargo, observar y enfrentar nuestros problemas emocionales es doloroso y requiere mucho valor, por eso es más sencillo y divertido destrozar a los demás.

Las críticas hacen mucho daño, y muchos niños nunca alcanzan su potencial porque padres y educadores excesivamente críticos les hacen creer que son incapaces o inútiles.

Si siempre acusas a otros de que son mezquinos, analiza por qué eres incapaz de dar. Recuerda que el ego es el maestro del engaño. Tal vez creas que no eres tacaño porque siempre das objetos materiales a los que menos tienen; sin embargo, puedes ser un tacaño emocional con quienes te rodean.

Quizá te desagradan las personas gordas, consideras que no tienen fuerza de voluntad y que son indisciplinadas, pero es posible que tengas problemas con la comida o la disciplina en otras áreas de tu vida. Julia se recuperó de la bulimia y la adicción a las drogas. Era bella, alta y delgada, y le desagradaban, al grado de aborrecerlas, las personas con sobrepeso, aunque fuera mínimo. "Ni siquiera soporto estar cerca de un gordo"; no obstante, dos de sus clientas eran mujeres muy robustas y eso representaba un problema. Cuando descubrió que las causas del sobrepeso de las mujeres reflejaban gran parte de lo que la llevó a la bulimia, las aceptó a ellas y a sí misma.

Manipulación a través de las críticas

Cuando los demás nos critican constantemente, empezamos a creer que no somos buenos. Por lo tanto, nos esforzamos mucho para ganarnos su cariño o amor a través de lo que producimos o hacemos. Pero entre más lo intentamos, menos nos aprueban. Nos mucho, pero la autoestima nos evade.

¿Cómo nos deshacemos de este programa que nos sabotea y que nos recuerda una y otra vez que somos incompetentes? Si sentimos que somos fracasados o incompetentes, entonces actuar y conseguir logros, no importa cuán pequeña sea la tarea, hace que empecemos a sentirnos bien con nosotros.

Lo que en verdad sucede es que nos manipulan. En nuestro deseo por ser amados o aceptados, permitimos a los demás que nos manejen. Entre menos nos aprueban, más nos esforzamos por lograr su aprobación y más la retienen. ¿Por qué? Porque eso les da poder, nuestro poder, en realidad. Pero nosotros se los entregamos con gusto. Decidimos permitirles que nos rijan, con la esperanza de conseguir un instante de aprobación. Eso es decisión nuestra, así que no podemos culparlos.

En el momento en que interferimos con el libre albedrío de una persona, generamos consecuencias negativas para nosotros. El libre albedrío es lo que nos diferencia de otras formas de vida. Ninguna otra especie animal, vegetal o mineral tiene libre albedrío, o capacidad de elección. Por tanto, cuando no respetamos las decisiones de los demás, porque no es lo que queremos y deseamos que hagan nuestra voluntad, no respetamos su elección. El poder de elegir, que nos fue concedido a todos, nos hace la pieza principal de la creación tangible. Por eso, manipular a través de la crítica es un acto de nuestro yo inferior o ego, no de nuestro yo superior. Si queremos avanzar en nuestro desarrollo, debemos trabajar en soltar la necesidad que tenemos de que los otros hagan lo que queremos.

Abuso y miedo a la soledad

El abuso dentro del matrimonio generalmente sigue este patrón: entre más abusa verbalmente de su pareja el abusador, ésta tiene menos posibilidades de desarrollar su autoestima. Entonces, entre más intenta satisfacer las necesidades de su pareja, menos lo logra, si el abusador conserva el poder. No importa que tan complaciente sea, nunca es suficiente. No importa qué suaves sean nuestras pisadas, nuestros pasos siempre serán incorrectos. Eso quiere el abusador. Así te manipula para que hagas lo que quiere. Lo peor es que le damos gusto.

Pero las investigaciones demuestran que el abusador, no el abusado, es quien más le teme a la soledad. A pesar de sus bravuconadas y la aparente falta de valor de la pareja del abusador, éste abusa porque le da miedo estar solo. Al hacer sentir a su pareja que no vale nada, inconscientemente cree que no va a abandonarlo, porque es tan inútil que a nadie le interesa, y el abusado también empieza a creerlo. Pero cuando éste se va, el abusador se derrumba y el abusado encuentra la fuerza para iniciar una nueva vida.

Cuando menospreciamos a otros para darnos valor, es justamente lo que queremos, que *sean menos*. Si son menos e indefensos, los controlamos como lo haría un padre dominante. Al trabajar con el cuerpo, con frecuencia descubrimos que las críticas se alojan en determinadas partes del cuerpo. Lo que sucede es, que cuando trabajo con un dolor o molestia, el recuerdo relacionado con cierto incidente viene a la mente, junto con la emoción que encierra. Conforme la persona experimenta el dolor emocional y lo libera, el síntoma físico también desaparece (aunque en algunos casos tarda un poco, pues la parte física es más densa y tarda más tiempo en responder).

Jenny sufría fuertes dolores en la rodilla derecha, que la mantuvieron despierta muchas noches. No había razones aparentes para su estado, pero el dolor continuaba. Al trabajar con Jenny, descubrí que su esposo se sentía muy intimidado por el éxito de su carrera y constantemente la criticaba y menospreciaba sus logros. Esto la hacía sentir culpable y frustrada. Ella quería progresar, pero cada logro traía otro problema a su relación. Este dolor también estaba relacionado con hechos similares de su infancia, pues se sentía culpable por alcanzar más logros que su hermano mayor (que estaba en el mismo salón de clases que ella), quien no apreciaba los éxitos de su hermana menor y buscaba la forma de menospreciarla. Como se trataba de la rodilla derecha, el problema tenía que ver con los hombres. Usamos las rodillas para avanzar en la vida, y allí se manifiestan los problemas relacionados con los compañeros. Entonces, no es una sorpresa que las críticas se alojaran en la rodilla de Jenny. Trabajando estas situaciones, logramos reducir el dolor considerablemente.

A menudo, estas emociones están relacionadas con críticas recibidas en el pasado, y la persona no conserva un recuerdo consciente de ellas. Un comentario mal intencionado tiene el potencial de producir un enorme daño emocional. Si te das cuenta que dices algo como: "Estúpido niño, nunca aprenderás", no olvides que estás grabando un programa en la mente del niño, que se repetirá día tras día, año tras año: "Soy un estúpido y nunca voy a aprender".

La modulación con la que dices las cosas también juega un papel importante en la grabación de un mensaje negativo en la mente de alguien. Si dices con suavidad y gentileza el más duro de los comentarios, su efecto no durará mucho, mientras que un simple: "Eres un inútil" a todo volumen y cargado con una buena cantidad de energía negativa, producirá un daño más grande. Siempre trata de separar la acción de la persona, por ejemplo: "Lo que hiciste fue estúpido y peligroso, porque..." Así condenas la acción y no a la persona.

DISCUSIONES

Parece que algunas personas no pueden evitar tener diferencias con los demás. Nunca pierden la oportunidad de atacar a una persona o a una situación. Pero es difícil que estas personas reconozcan que son los agresores, más bien consideran que sus acciones son defensivas. No importa cuántas veces se vean envueltas en una pelea, simplemente no entienden que son ellos los verdaderos responsables. Siempre hay gente o cosas que los incitan a pelear. Todos los días se presenta la oportunidad de sentirse ofendido y justificar el ataque.

Por ejemplo, el vecino, que en lugar de ir a tu casa y pedirte con civilidad y calma que por favor les pidas a tus amigos que no se estacionen frente a la entrada de su carro, reporta la situación a la policía y se dedica a hablar mal de ti con todo mundo. Cuando se encuentran, te ataca con tal ferocidad, que horas después sigues temblando. A partir de ese momento, aunque evitas que tus amigos no se estacionen en su entrada, cartas ofensivas, quejas oficiales y llamadas telefónicas para amenazarte se vuelven el pan de cada día, por asuntos tan insignificantes como que tu gato pisa por su pasto o porque les molesta el olor de tu parrillada.

La frustración tenía loca a Petra. "Mi vecino arroja deshechos de perro a mi jardín. Dice que son de mis perros, que ensucian el césped que está frente a su casa. Mis intentos por convencerlo de que no son ellos, se encuentran con furiosas recriminaciones, se niega a creerme. No puedo hablar con el hombre sin que él explote. Tuvimos la última discusión después de que tuve que sacrificar mis perros, porque estaban muy viejos, y los desechos seguían apareciendo. Me acerqué a él y le informé de la muerte de mis perros, le dije que eso demostraba que mis mascotas no eran las responsables. En lugar de disculparse, inició un nuevo ataque con desagradables comentarios sobre mis hijas. En ese momento me di por vencida, y me di cuenta que simplemente le gusta pelear".

Parece que la necesidad de discutir fuera una razón para vivir. Una ardiente pasión se apodera de ellos, y disfrutan atacando en todas direcciones. A pesar de la gran cantidad de energía y tiempo que desperdician, existen personas que gozan enormemente con los altercados continuos.

Cuando tenemos exceso de fuego o ira en nuestro interior, a menudo es una señal de que estamos muy enojados con nosotros mismos. Nos sentimos impotentes para enfrentar nuestros demonios, y nos deleita encontrarlos reflejados en los demás; por ejemplo, la desconsiderada actitud de prender la música a todo volumen, refleja la misma desconsideración hacia nuestra pareja.

La palabra "discusión" viene del latín querella, que significa "queja". Discutimos porque encontramos una falla o una queja en otro porque el mundo no funciona según nuestras necesidades.

Las tres fases de las discusiones

Uno, empezamos con una necesidad o deseo. **Dos**, obtenemos de otra persona la reacción o resultado de esta necesidad que esperamos. **Tres**, nuestra típica reacción ante el resultado.

Tomemos como ejemplo tu aniversario.

Empezamos (1) con el deseo de que nuestra pareja recuerde el aniversario y nos haga sentir amados y especiales. Esa es nuestra **necesidad**.

Entonces, obtenemos el **resultado esperado** (2) de esa necesidad, que depende de nuestro inventario emocional, lo que esperamos de nuestras relaciones en general. Por ejemplo, si a lo largo de nuestra vida hemos sido rechazados o los demás han sido insensibles a nuestras necesidades, eso determinará el resultado que esperamos. Es decir, esperaríamos que nuestra pareja fuera insensible y nos rechazara porque eso sucede en las relaciones (es lo que hemos apren-

nuestro dolor no es comprendido ni reconocido. Al retraernos emocionalmente y no responder, nos aseguramos que los demás no puedan relacionarse con nosotros y saboteamos nuestra necesidad de intimidad

Deseamos intimidad y comprensión, pero en lugar de expresarlo, nos retraemos. Es una respuesta femenina o de agua, opuesta a la reacción masculina de fuego, y la ira nos hace explotar. Igual que en el caso de las discusiones, nuestras heridas emocionales hacen que esperemos una respuesta, y cuando sucede respondemos de la manera usual; es decir, con un retraimiento pasivo agresivo. Para la persona que se siente con menos poder en una relación, es una maravillosa herramienta de manipulación para tener a sus pies al individuo con más poder.

Tomemos como ejemplo a Joan, una dinámica y agresiva entrenadora deportiva, y a su esposo Ben, un callado y reservado redactor publicitario. Cada vez que Joan le pide que haga alguna tarea en la casa, Ben responde que sí, pero no la hace y eso vuelve loca a Joan. Consciente de que puede estar presionándolo, no insiste en que ayude en la casa, pero se enoja porque hace muy pocas cosas. Con el tiempo, su ira supera sus intentos de no presionarlo y le pide que haga una tarea específica. Como Ben percibe la ira de Joan, y al mismo tiempo está enojado por su petición, no lo hace, lo cual la enfada aún más. Y la irá aumenta porque él sigue sin hacer las cosas o las demora. Incapaz de enfrentar su ira, Ben se retrae emocionalmente y se pone de mal humor. Al retraerse, la obliga a seguirle el juego, como si ella necesitara satisfacer su necesidad de intimidad. Pero entre más se esfuerza Joan por ser "agradable", más la ignora Ben. Ahora él tiene el control, y la obliga a buscarlo. Aunque no tiene la capacidad de decirle qué le molesta, Ben encuentra la manera de manipularla para que se sienta culpable. Mientras juega este juego, siente que tiene el control. Si deja el mal humor, vuelve a sentirse incompetente y débil.

La necesidad de Ben es que lo aprecien por lo que hace en la casa. Siente que trabaja mucho y lo que quiere hacer cuando llega a casa es descansar y relajarse. Joan trabaja sólo por las mañanas y su contribución a la economía de la casa es menor. Entonces, Ben siente que es justo que haga menos cosas en la casa, un patrón que aprendió de sus padres. No obstante, el resultado que espera cuando vuelve del trabajo, es sentirse presionado e inútil. Así que responde retrayéndose. Como siempre se ha sentido incompetente, Ben se programa para este resultado. Y se enoja cuando se manifiesta, lo que lo hace sentir débil e incapaz de enfrentarlo correctamente; es decir, compartir con Joan cómo lo hace sentir la situación. Mejor busca medios para no perder poder, entonces se retrae para obligar a Joan a que se acerque a él y, así, volverla más vulnerable.

Otro ejemplo es cuando le pedimos a alguien que nos ayude a lavar los trastos. Eso molesta a la persona y, como no quiere hacerlo, responde rompiendo "por accidente" un plato. En lugar de simplemente decir: "No, yo lavé los de la comida", hacen la tarea con agresión disfrazada.

Esperamos que la gente sepa y entienda qué pasa en nuestro interior sin que tengamos que decirlo. Como no lo hacen, nos enojamos. Entonces, como nos sentimos desamparados, abusados, inútiles e incomprendidos, su respuesta o la falta de ella, solamente nos recuerda situaciones de la infancia y confirma nuestros sentimientos. Así que dirigimos nuestra ira a ellos y los castigamos, en lugar de analizar por qué nos sentimos así y borrar el programa impreso. No obstante, es una respuesta muy efectiva, por eso recurrimos a ella a menudo para controlar una situación y salirnos con la nuestra.

El problema es que, aun cuando la conversación se restablece, el incidente que inició la guerra rara vez se comenta. La infección se queda y hace que la relación pase de la intimidad a la codependencia. El escritor John Gray, autor de *What You Feel You Can Heal*, dice que este deterioro ocurre en cuatro fases: resistencia, resentimiento, rechazo y represión.[3]

Cuando nos **resistimos**, cerramos la comunicación por miedo a ser ridiculizados o a sentir que no valemos nada. Esto crea **resentimiento** porque no somos capaces de compartir completamente lo que somos. Entonces, **rechazamos** a la otra persona a través del malhumor y el retraimiento. Finalmente, parece que lo superamos y arreglamos la situación, pero al no expresar la causa inicial de nuestro enojo, **reprimimos** nuestros verdaderos sentimientos. Con el tiempo, la relación se deteriora hasta el punto en que reprimimos todos nuestros sentimientos, positivos y negativos, y descubrimos que vivimos con alguien a quien apenas conocemos. Levantamos barreras tan altas, que no queda espacio para la intimidad o la comprensión, y donde no hay comprensión, no puede haber intimidad.

Un amigo era así. Cuando le preguntábamos si tenía algún problema, la respuesta común era: "No, todo está bien". (**Resistencia.**) Profundamente **resentido** por lo que consideraba era el problema, nos **rechazaba** retrayéndose y mostrándose de mal humor; y reprimía la ira hasta tal punto, que se **sentía** en el ambiente. Después de años de hacernos sentir culpables, nos rebelamos y dejamos de sentir culpa. Con esto dimos un gran paso y la relación se fracturó, porque todos reprimíamos lo que sentíamos y no podía existir una relación profunda ni estrecha. Toda esperanza de intimar se acabó y la relación se volvió de política indiferencia.

Cómo identificarlo, cómo detenerlo... y por qué no queremos

Pregúntate qué tan capaz eres de expresar tus sentimientos a otra persona, sobre todo la ira. ¿Puedes hablar con calma y decir: "Me molesta lo que haces porque siento que abusas de mí", o "Cuando ignoras mis necesidades, siento que no me amas y que no me valoras"? ¿Prefieres enfurruñarte y no decir nada, pero te vengas haciéndolos sufrir? ¿Por qué no evitas esta situación y llevas una relación más honesta? La respuesta es simple, el mal humor te da poder cuando sientes que no lo tienes. ¿Quién quiere renunciar a él voluntariamente?

El mal humor te permite controlar y manipular las situaciones. Cuando tenemos poca autoestima, siempre intentamos controlar las situaciones o a la gente a través de la manipulación. Entonces, para detener el mal humor hay que trabajar los problemas de autoestima y fortalecer al yo para tener poder interior. Así no tendremos que buscar poder exterior manipulando a otros a través de la culpa.

Al primer indicio de ira, comienza a trabajar la comunicación abierta con los demás. Es posible que la otra persona no disfrute de lo que tienes que decir, pero la otra alternativa es hacerla sentir culpable durante varios días, así que es preferible hablar del problema.

Notas

1. *Yoga Sutras* 11:36.
2. *La Sagrada Biblia*. Edición St James. Juan 1:1.
3. Gray, John, *What You Feel You Can Heal*, Harper Audio, San Francisco, 1995.

Capítulo catorce

Hábitos que hacen daño

HÁBITOS QUE AFECTAN SERIAMENTE NUESTRA VIDA

Cada vez que encendemos un cigarrillo, nos comemos una hamburguesa doble con queso, bebemos otra taza de café, nos comemos una tablilla completa de chocolate, o nos consentimos bebiendo en exceso, nos hacemos daño. Pero a pesar de las pruebas contundentes de que todo esto nos hace daño físicamente, la mayoría de la gente sigue considerándolos comportamientos aceptados. Y la verdad es que muchos incurrimos en cuando menos uno de ellos con frecuencia. ¿Por qué? Por que nos hacen sentir bien cuando los hacemos, aunque sabemos que nos dará resaca, tendremos problemas de peso, incrementaremos el riesgo de una enfermedad cardiaca, etcétera. A veces, la culpa nos lleva a realizar estos hábitos en secreto, como fumar cuando el cónyuge no está, o esconder la envoltura del chocolate para que no quede evidencia.

Entonces, ¿por qué nos quedamos de brazos cruzados cuando alguien se lastima cortándose o jalándose el cabello? Porque lo difícil es controlar el deseo de hacernos daño. Cuando vemos que alguien tiene cortes en todo el brazo, no negamos que tiene problemas emocionales; no obstante, si bebemos en exceso, recurrimos a la negación para no enfrentar o aceptar que detrás de eso hay un problema emocional real.

Gran parte de este capítulo tiene que ver con las mujeres y su falta de imagen personal positiva. Quizá se deba a años de bombardeo mediático con imágenes retocadas y perfeccionadas de cómo debe lucir la "verdadera" mujer, lo que provoca que las mujeres crean que su imagen está deteriorada, y algunas incluso llegan a odiarse. La percepción que tenemos de nuestra imagen, que consideramos inferior, se ve reforzada porque continuamente nos menospreciamos por no estar delgadas, tener manchas y celulitis, carecer de firmeza, no tener la talla de senos correcta... la lista es interminable. Si a esto le sumamos la inestabilidad y, a menudo, la violencia doméstica, el problema se vuelve muy complejo.

Desde la súper modelo a la súper estrella, muy pocas mujeres creen que son perfectas como están. Los hábitos que analizamos en este capítulo van en ascenso porque la familia tradicional se desintegra, el abuso aumenta y el papel de la religión se desvanece.

AUTOFLAGELACIÓN

¿Qué es la autoflagelación?

> *Autoflagelarse, o hacerse daño a uno mismo, es una forma de enfrentar el dolor emocional de manera física, como gritar con la boca cerrada.*[1]
>
> **Vocero samaritano**

Querida Sra. Gadd:

Esta es la primera vez que le cuento a alguien lo que hago. Desde muy pequeña me muerdo las uñas y las mejillas,

> me arranco las pestañas, y me araño y lastimo la piel. Algunos días, sin razón aparente, me jalo todas las pestañas. Otro día me muerdo las mejillas hasta hacerlas sangrar, y así sucesivamente. Parezco una persona normal y nadie sabe lo que hago, ni siquiera mi esposo.

La carta continuaba describiendo cómo sus hábitos han afectado su vida y han llegado al grado de provocar que se deteste a sí misma. La carta era un grito desesperado de ayuda de una mujer que estaba muy lejos. Debió requerir mucho valor para haberlo puesto por escrito después de tantos años, y revelar su secreto a una desconocida.

La carta llegó como respuesta a mi libro anterior, y me motivó a analizar la situación con mayor profundidad. En términos generales, autoflagelarse es cuando alguien se inflinge un daño físico voluntariamente, como quemarse, cortarse con una hoja de afeitar o unas tijeras, arrancarse los cabellos, lastimarse la piel, tomar pequeñas sobredosis de pastillas, golpearse el cuerpo con algún objeto o con los puños. Como es un tema tan vasto, decidí tratar por separado arrancarse el cabello y lastimarse la piel, aunque entran en el rubro de autoflagelación y muchas de las causas y tratamientos son similares.

¿Quién la practica?

En el Reino Unido, más de 24 000 adolescentes son admitidos en el hospital cada año, porque se hacen daño deliberadamente. Las chicas son cuatro veces más propensas a autoflajelarse que los chicos.[2] La incidencia de autoflagelación está aumentando (según la línea de auxilio infantil ChildLine, de Reino Unido, hubo un incremento del

30% durante el último año),[2] lo que podría atribuirse al incremento de hogares disfuncionales y de presión, lo que genera un mayor estrés emocional y una disminución de la autoestima. Lo preocupante es que la mayoría de la gente que se autoflagela nunca recibe ayuda profesional. Según cifras dadas por los Samaritanos, se calcula que en el Reino Unido uno de cada diez adolescentes se autoflagela, aunque la cifra disminuye al llegar a la adultez. El método más común es cortarse, seguido de envenenamiento.[2]

¿Qué hace que alguien experimente una angustia tan profunda, que lo incita a hacerse daño para aliviar el dolor emocional que siente?

Si no sabes si te autoflagelas, pregúntate:

- ¿Te causas daño físico deliberadamente, de tal forma que las heridas son visibles durante algún tiempo?
- ¿Cuando te sientes triste o desagradable, te lastimas para aliviar esos sentimientos?
- ¿A menudo te imaginas lastimándote aunque no estés alterado?

Si contestaste "sí" a estas preguntas, es muy probable que estés autoflagelándote, y deberías buscar ayuda profesional antes de que el problema crezca.

¿Qué la provoca?

La causa principal generalmente es el abuso, ya sea emocional, físico o sexual. Con el derrumbe de las estructuras familiares, religiosas y sociales, muchos adolescentes se sienten muy solos cuando tienen que enfrentar problemas emocionales. Por lo tanto, si sufren incesto, violación, presiones escolares, conflictos familiares, la muerte de un ser querido, intimidación, preocupaciones económicas, depresión y problemas con sus relaciones, no tienen con quién hablar.

Con frecuencia, el ignorante la considera una estrategia para llamar la atención, pero rara vez es el caso porque la mayoría de los autoflageladores guardan en secreto su hábito, por eso pasa inadvertido para el resto de la familia o amigos. Sin embargo, indica una grave necesidad de ayuda y comprensión.

Quienes se autoflagelan casi siempre están enojados con la situación, lo cual es comprensible, pero se sienten incapaces de hacer algo al respecto. Puede empezar como una reacción momentánea para externar la ira y reducir el estrés, y poco a poco se convierte **en** la forma de reducir el estrés causado por emociones dolorosas y continuar durante años sin que los demás lo detecten. Como sienten que no tienen control sobre el mundo exterior, lastimarse les produce la sensación de que ejercen un poco de control, aunque sea hasta el grado de hacerse daño. Al proporcionarse dolor, los autoflageladores intentan recuperar el poder que han perdido. La cantidad de dolor que se causan no indica necesariamente la gravedad de los problemas emocionales. Con el tiempo, la persona se vuelve más resistente al dolor y para lograr la misma sensación de alivio, necesita incrementar el nivel del daño. Entonces, el problema se vuelve una espiral sin control que ocasiona serias infecciones y cicatrices.

Los problemas emocionales

Cuando nuestro dolor emocional es tan intenso que sentimos que ya no podemos aguantarlo, la autoflagelación es una forma de enfrentarlo. Creemos que hacernos daño es una manera real de expresar las emociones reprimidas, en un intento de afrontar los conflictos o de castigarnos. Es señal de que la persona está profundamente angustiada, y no debe considerarse un simple intento de llamar la atención. El cuerpo y las heridas del autoflagelador reflejan un intenso dolor emocional. En algunos casos, la consideran una manera de volverles la espalda a quienes los han herido. Aunque raras veces es un intento de suicidio, la gente que se autoflagela es mucho más propensa a suicidarse a lo largo de su vida.[2] La baja autoestima siempre es parte de la causa y la razón por la que muchos autoflageladores no pueden expresar sus sentimientos.

Con frecuencia, se sienten enojados y frustrados porque los demás no los ven como son, ni los escuchan. Si alguno no se siente bien con lo que es, le da miedo y es incapaz de confiar sus problemas a otros. Como sienten que no valen y no tienen poder, creen que no existe una forma aceptable de expresar sus sentimientos e intentan negarlos. Piensan que no son dignos de su tiempo o atención, aunque les enoja no recibirlos.

Las mujeres sufren más de abuso sexual que los hombres, factor que también puede contribuir a que la autoflagelación predomine en las mujeres. Comúnmente, cuando abusan de nosotros siendo niños, creemos que tenemos la culpa de lo que pasó, así que en lugar de enojarnos con el que perpetró la violación, guardamos la ira en nuestro interior y nos lastimamos. Es un acto de odio extremo a uno mismo.

En mujeres mayores, la autoflagelación se relaciona con la pérdida de la individualidad; quizá dedicaron toda su vida a complacer a otros, dejando de lado la satisfacción de sus propias necesidades. Esto, acompañado de una relación abusiva, puede generar intensos sentimientos de desvalorización y, por lo tanto, miedo a expresar lo que sentimos. Se convierte en una forma de enfrentar los problemas de la vida. La distancia entre dolor y placer se vuelve menos clara, como en el sadomasoquismo, cuando lo que nos produce dolor también nos da placer.

A menudo, las situaciones traumáticas nos dejan emocionalmente entumecidos para poder sobrevivir. Lastimarse produce esta misma sensación de entumecimiento, haciendo que las experiencias dolorosas de nuestra vida parezcan lejanas, lo mismo que sentiríamos si ingiriéramos ciertas drogas.

La culpa y la vergüenza son los compañeros inevitables del autoflagelador, respecto a lo que es y cómo se comporta. Cada nuevo corte o quemadura incrementan la culpa y la vergüenza, lo que aviva la necesidad de autoflagelación. Esto lo demuestra la historia de Donald.

Donald era un joven adolescente que fue enviado a un nuevo internado después del divorcio de sus padres. Igual que en la escuela anterior, se sentía alejado de sus compañeros, a quienes consideraba inmaduros e idiotas. Su amor por la música y las artes lo distanciaba aún más de los demás, que preferían el rugby y el fútbol, y los otros chicos lo molestaban constantemente porque consideraban que sus diferencias eran una discapacidad. Empezó a creer que era raro y su autoestima se fue a pique. En casa las cosas no estaban mejor, pues sus padres acababan de pasar por un horrible divorcio.

Una pequeña investigación de las dinámicas familiares mostró que el padre constantemente criticaba a Donald, porque, según él, nunca cumplía sus expectativas. Enviarlo a un internado fue una forma de aliviar la carga que representaba para su madre, y de asegurarse que recibiera una educación "masculina" ahora que su padre estaría ausente.

Incapaz de hablar con alguien sobre la angustia y la ira que le producía ser aislado y ridiculizado por sus compañeros, Donald empezó a tener largos periodos de depresión y ciclos de lectura que duraban toda la noche. Logró conseguir un cuarto para él solo fuera de los dormitorios de la escuela, donde interiorizó el desagrado que sentía por sí mismo y su dolor emocional, y empezó a cortarse con su navaja de bolsillo. La incompetencia y la vergüenza que le causaba su debilidad, junto con la reacción que su comportamiento provocaría en su padre, sólo incrementaron su necesidad de hacerse daño. La situación se salió de control hasta que la intervención de un profesional la remedió.

Joyce empezó a autoflagelarse siendo ya adulta. Se casó muy joven con un hombre 16 años mayor que ella, y cuando nació el primero de sus cuatro hijos, sintió que había cambiado la mochila de la escuela por una pañalera. Diez años más tarde, Joyce no tenía recuerdos agradables de su juventud, sentía que se había convertido en la sirvienta de las necesidades de su demandante familia, en particular de su esposo, quien en su intento por controlarla, parecía más un padre abusivo que un marido. La depresión y la ausencia total de individualidad se apoderaron de ella. Atrás de esto había una ira extrema por haber entregado su juventud a un grupo de personas que mostraba poca comprensión o gratitud por lo que había hecho. La situación en su casa se volvió intolerable, y Joyce empezó a autoflgelarse para expresar el dolor que no podía transmitir a aquellos con quienes compartía su vida.

¿Todos nos autoflagelamos?

Hasta cierto punto, casi todos realizamos ciertos actos de autoflagelación: comemos cosas que no son saludables; bebemos en exceso (aun cuando sabemos que eso mata nuestras neuronas); nos sobrecargamos de trabajo y de estrés; tenemos relaciones abusivas; conservamos empleos que odiamos, sólo porque el hecho de pensar en abandonarlo nos da inseguridad... la lista no tiene fin. Todas estas acciones conllevan cierto grado de aceptación social y pocos percibimos que lo que hacemos es un acto deliberado de autoflagelación. Lo cierto es que causarnos daño es muy común. Sólo cuando el daño físico es visible, se considera que la autoflagelación ha rebasado los límites de lo aceptable.

Peligros

Obviamente, la autoflagelación tiene muchos resultados negativos, como infecciones, cicatrices permanentes y el riesgo inadvertido de que algún día lleguemos demasiado lejos y nos quitemos la vida. Además del daño físico, la necesidad de mentir para cubrir el daño, puede resultar muy estresante.

Tim parecía un hombre de familia muy normal. Era padre de dos hijos, tenía una casa con respectiva hipoteca, una historia escolar buena, un trabajo prestigioso como arquitecto, y no había ni una señal sobre la confusión que había bajo la superficie.

Soy amiga de él y su esposa desde hace años. Un día, me lo encontré y vi que tenía arañazos profundos y violentos en la cara. Me comentó que había sido atacado por unos asaltantes, que le arrancaron el teléfono celular. Como intentó defenderse, uno de ellos lo rasguñó en la cara, una explicación plausible y que creí, hasta que me encontré con su esposa, que me contó una historia totalmente diferente.

Parece que Tim se había producido las heridas en un ataque de ira. Demasiado avergonzado para decir la verdad, inventó la historia de los ladrones. Aparentemente, Tim tenía una larga historia de autoflagelación. En alguna ocasión pateó la pared tan fuerte, que se fracturó el pie; en otra, se rompió los huesos de la mano al pegarle a una puerta; tomó sobredosis de pastillas y había faltado muchas veces al trabajo (siempre a causa de "accidentes" o "enfermedades"). La mayoría de la gente creía que era muy propenso a accidentarse o que tenía muy mala suerte.

Como le daban ataques de ira, en lugar de descargar su furia con quienes lo rodeaban, la volvía contra sí mismo. Podría parecer un acto de nobleza, pero sus hijos habían presenciado estos ataques y les habían causado mucho estrés y un trauma emocional. Sólo cuando tomó conciencia del efecto que sus acciones tenían en sus seres queridos, Tim hizo un esfuerzo consciente para dejar de autoflagelarse. En su caso, la bebida era un factor clave. Al parar de beber, se redujo la intensidad de sus explosiones de ira y pudo controlar sus reacciones.

Del odio al amor

Aunque se recomienda la asistencia de un terapeuta y la participación de un psicólogo y/o médico calificado, es posible que la persona que se autoflagela tome cierto control de la situación. Como cualquier otro hábito, la autoflagelación es una forma aprendida de enfrentar los problemas emocionales. Sin embargo, para recuperarse es importante recordar que existen varias técnicas que pueden emplearse para poner un alto a la autoflagelación, que pueden ser más o menos efectivas según el individuo. Éstas son:

- Buscar una salida para desfogar la ira, puede ser golpear un saco de arena o practicar un deporte.
- Hacer yoga y ejercicios de respiración.
- Llevar un diario donde anotes tus sentimientos.
- Sacar de la casa aquellos objetos que puedan emplearse para la autoflagelación.
- Empezar a compartir tus sentimientos con los demás.
- Apretar cubos de hielo, duele pero no lastima.

Cuando nos relacionamos con una persona que se autoflagela, debemos recordar que no hay que juzgar sus acciones, ni percibirla como un reflejo negativo de uno mismo. Si lo fuerzas a detenerse porque sus acciones te hacen sentir incómodo, no conseguirás resultados favorables. Lo que la persona necesita es apoyo, así como aceptación y amor incondicionales, en lugar de recriminaciones y críticas

ARRANCARSE EL CABELLO

¿Qué es?

¿La vida es tan estresante que literalmente te jalas los cabellos? Tricotilomanía (TTM), o arrancarse el cabello, es un comportamiento en el que la gente se jala el cabello de la cabeza, las cejas, las pestañas, la axila o la región púbica. Se ha clasificado como hábito, adicción, tic, trastorno obsesivo compulsivo y, comúnmente, trastorno de control de impulsos (similar a la cleptomanía o robar compulsivamente).

Normalmente, la tensión emocional se incrementa antes de que se presente la necesidad de arrancarse el cabello, o que la persona se resista a ello. Obvio, los resultados son antiestéticos, pero el deseo de arrancarlos es más fuerte que el miedo a la desagradable calvicie que provoca. Esto causa una importante ansiedad en todas las áreas de la vida.

La cantidad arrancada varía de persona a persona, igual que la compulsión. Muy a menudo, hacen todo lo posible por cubrir las áreas calvas con mascadas, pelucas, sombreros o maquillaje. Algunas veces se niegan a interactuar con otras personas por miedo a que descubran su problema. Los adolescentes que se preocupan por su apariencia, son los que más sufren.

El problema de arrancarse el cabello se dio a conocer en los medios de comunicación hasta el principio de los años 90; incluso hoy en día, pocas personas conocen el problema que los aqueja y desconocen el tratamiento.

Algunas personas se arrancan un cabello a la vez y lo analizan primero antes de arrancarse otro. A veces lo mastican y, en algunos casos, se lo comen. Otros hábitos, como la autoflagelación, lastimarse la piel, arañarse y morderse las uñas (consulta el Capítulo seis), pueden volverse parte de la práctica habitual. Otras personas pueden presentar síntomas de Trastorno Obsesivo-Compulsivo (consulta el Capítulo tres), como lavarse, revisar, contar compulsivamente, etcétera. La depresión es también un factor, aunque no se sabe si es la causa o el resultado del problema.

¿Quién lo practica?

Con mucha frecuencia, el problema de arrancarse el cabello empieza en niños de aproximadamente 12 años[3] y, por ese motivo, se le asocia con los cambios hormonales de la pubertad. Pero puede empezar mucho antes o después. Como todos los hábitos que hacen daño, una situación estresante puede ser la causa inicial, como la muerte de un familiar, cambio de escuela, conflictos o abuso. Afecta del 1 al 2% de la población, y en su mayoría a las niñas (más o menos el 90%, aunque la cifra puede no ser exacta porque los hombres rara vez buscan tratamiento, por eso las estadísticas no son precisas).[3] Es más común en los adolescentes que en otros grupos.

El cabello y su importancia

Según la Biblia, el cabello de Sansón era símbolo de su fuerza y su divinidad: Si cortaran mi cabello, perdería mi fuerza y sería tan débil como los demás.[4] Obviamente, no era el cabello en sí lo que le daba su fuerza, sino más bien lo que simbolizaba; por ejemplo, su conexión con Dios. Esta conexión le daba su poder carismático.

Los indios nativos americanos también consideraban su cabello como un enlace con el espíritu, por eso usaban penachos emplumados, para mejorar dicha conexión. Al quitarle la cabellera al enemigo vencido, el guerrero le quitaba el cabello a la víctima y, por consiguiente, su capacidad para comunicarse con el Gran Espíritu después de la muerte. Según la tradición occidental, como el cabello crece en el séptimo cuerpo energético, se considera una especie de antena hacia el mundo astral y los planos mentales. Por ejemplo, los judíos hasídicos no se cortan el cabello, porque lo consideran líneas de fuerza que los comunican con el universo y con Dios.

Cuando toman los votos, a las monjas se les corta el cabello o se les afeita la cabeza, como símbolo de una nueva forma de vida y de sumisión a Dios. En varias religiones, los monjes, como los chinos manchúes, hacen lo mismo. En India, como parte de una ceremonia anual de culto, se les pide a los discípulos que caminen varios kilómetros de rodillas hacia el tempo, donde su cabello es arrancado bruscamente (y dolorosamente) por los sacerdotes, como medio de purificación.

Lo primero que sucede cuando un recluta entra al ejército es que le cortan el cabello a rape. Con esto, se le despoja de su poder personal y su fuerza como individuo. De igual forma, los integrantes del movimiento neonazi se rasuran la cabeza como símbolo de identificación. En este caso, la relación entre los miembros, su fuerza y doctrina se vuelven más importantes que las necesidades del individuo y el poder personal.

Una cabellera brillante es señal de un cuerpo sano, en tanto que la pérdida de cabello es producto de la tensión y la falta de alegría; por ejemplo, sentir que nuestra vida está alejada de la Divinidad. A menudo, cuando cortamos o cambiamos el color de nuestro cabello o su estilo, demostramos visiblemente el cambio que ha ocurrido, o esperamos que ocurra, en nuestra vida.

Decir que una situación da miedo o es tan difícil que hace que se te pongan los pelos de punta, significa que el evento requiere que la Divinidad te dé fuerza. Como tenemos los cabellos parados, necesitamos más fuerza para superar la situación. En contraste, soltarse el pelo quiere decir que abandonamos la conexión espiritual para buscar placeres terrenales que nos producirán una fuerte resaca al día siguiente. Esta expresión también tiene connotaciones sexuales, cuyos orígenes se encuentran en la antigüedad, pues cuando una mujer se soltaba el pelo significa que era virgen o estaba soltera y disponible. Entonces, soltarse el pelo es hacer a un lado las inhibiciones sexuales.

Causas emocionales

La vergüenza y la culpa son el resultado rotundo de arrancarse el cabello, pues la tensión y la frustración son su causa. La relación en el inicio de la pubertad tiene que ver con la frustración que se experimenta a esa edad por la incapacidad para expresar pensamientos y sentimientos por miedo al ridículo. Tenemos una opinión, pero nos atrevemos a expresarla por temor a provocar una confrontación, entonces negamos nuestros deseos para evitar el conflicto. La baja autoestima también hace que sintamos que nuestras opiniones y sentimientos no tienen valor. Sin embargo, cuando no podemos expresar lo que somos, nos llenamos de frustración. Las jóvenes, como son menos agresivas que su contraparte masculina, luchan más con este problema porque los chicos tienen más escapes físicos y deportivos para sus frustraciones.

Estos dos aspectos, culpa y vergüenza, confirman nuestra incompetencia. Nos sentimos imperfectos y nos da miedo expresar lo que somos en realidad, por temor a que se descubran esas carencias. Entonces, la vergüenza actúa como un crítico interno, y nos dice que no merecemos que nos escuchen, que no somos inteligentes, ni atractivos, ni sabemos lo suficiente para que nuestras necesidades sean expresadas o satisfechas. La culpa y vergüenza que nos causa arrancarnos el cabello, confirma esta creencia.

La creencia de que somos imperfectos es producto de casi cualquier tipo de abuso durante la infancia, como negligencia, abandono, críticas excesivas, límites inapropiados, abuso emocional o sexual, o una crianza sumamente autoritaria. A menudo, el padre transmite al niño la vergüenza que siente cuando éste no cumple con sus expectativas, y el niño se siente avergonzado por ello. Entonces, nos consideramos imperfectos y, como tememos recibir más humillaciones, aceptamos las opiniones de los demás para mantener la paz. Vivimos para complacer a otros, y reprimimos nuestras necesidades.

Como nos sentimos incompetentes, todo lo que hacemos en la vida reafirma y genera este sistema de creencias. Sin embargo, ceder siempre a la voluntad de otros a expensas de la nuestra, crea una gran tensión que aliviamos arrancándonos el cabello. El área en la que elegimos arrancarnos el cabello indica en dónde nos sentimos reprimidos y frustrados. El cabello de la cabeza representa nuestras ideas y pensamientos; el vello de la región púbica, nuestros sentimientos sexuales; las cejas, problemas de control y expresión; las pestañas indican la frustración que nos produce que los demás no vean quiénes somos en realidad.

De la calvicie a la belleza – estrategias para sanar

Los tratamientos convencionales incluyen terapias cognitivas y del comportamiento[5] impartidas por psicólogos especializados. La gente aprende a identificar la situación que dispara el comportamiento de arrancarse el cabello, y a sustituir o redirigir el impulso con un hábito menos peligroso. Algunas personas han dejado de arrancase el cabello colocándose banditas adhesivas en los dedos, o escribiendo en un diario cuándo y qué desencadena la necesidad de arrancarse el cabello. Médicamente, algunos individuos han descubierto que los inhibidores selectivos de recaptura de serotonina (como el Prozac, por ejemplo) eliminan el deseo de arrancar (en algunos casos el método reduce el deseo, y en otros no tiene efecto). Los grupos de apoyo han ayudado a otros, porque saben que no están solos.

Las terapias alternativas incluyen hipnoterapia, artes marciales, ejercicio, cambios alimenticios, programas de reafirmación personal, yoga, meditación enfocada en la eliminación del estrés y psicoterapia para liberar la frustración y la vergüenza, y fortalecer la autoestima y la voluntad.

Las buenas noticias son que, con el apoyo adecuado, casi todas las personas alivian el impulso que los lleva a arrancarse el cabello.

RASCADO CUTÁNEO

¿Qué es?

El rascado cutáneo autoinflingido (SISP, por sus siglas en inglés) es el hábito de rascarse, hurgarse o picarse la piel para eliminar pequeñas imperfecciones, y está íntimamente ligado a la autoflagelación. La mayoría de la gente usa sus dedos o uñas, pero otros utilizan alfileres, tijeras, etcétera.[5] En casos graves, produce infecciones y deja cicatrices. Igual que arrancarse los cabellos, el rascado cutáneo es resultado de la acumulación de estrés emocional y ansiedad, que se libera rascando. En este hábito, la vergüenza y culpa participan en gran medida, por eso la gente rara vez busca ayuda.

¿Quién lo hace?

Los estudios revelan que hasta el 4% de los estudiantes universitarios y 2 % de los pacientes dermatológicos, se rascan la piel hasta causarse cicatrices severas y esta cifra, como el caso de arrancarse los cabellos, va en aumento. Como en todos los comportamientos que causan daño, en este capítulo las mujeres predominan. En 1998, Sabine Wilhelm y sus colegas realizaron un estudio y encontraron que 87% que se rascan la piel son mujeres, casi la mitad de ellas están casadas y casi el 74% cuenta con estudios superiores o tienen un título. El promedio de edad al que empezaban era los 15 años, pero, como sucede con los comportamientos de autoflagelación, tiende a aumentar o disminuir según las circunstancias. 39% de la gente que participó en el estudio había padecido acné o problemas relacionados con la piel cuando el hábito empezó, y casi la mitad tenía otros miembros en su familia con el mismo hábito.[6]

La piel y su importancia emocional

La piel es el órgano más grande del cuerpo y, como tal, desempeña una gran variedad de funciones, como protegernos de las infecciones, excretar toxinas y controlar la temperatura del cuerpo a través de la transpiración. Sin embargo, lo más importante es el tema de las fronteras y cómo interactuamos con el mundo exterior. A través de la piel expresamos gran parte de nuestro ser interior: la vergüenza hace que nos ruboricemos, nos ponemos rojos de ira, blancos de miedo, se nos pone la carne de gallina cuando tenemos miedo y lucimos rosados y brillantes cuando estamos sanos. Nos relacionamos con los demás a través del tacto de la piel, ya sea que nos cause rechazo o excitación. También experimentamos intimidad en un nivel más profundo que el verbal, y sin embargo ese contacto puede hacernos sentir vulnerables.

Lo que vemos en la piel es un reflejo de un proceso interno, por eso entre más piel mostramos, más vulnerables y expuestos quedan nuestros sentimientos interiores. Nos volvemos mucho más vulnerables si nos paramos desnudos frente a un extraño, que vestidos.

En las pruebas de detección de mentiras, se monitorean electrónicamente los cambios que se presentan en la piel para determinar si es verdad lo que dice la persona. Es como si lleváramos una gran pantalla en la cual, aquellos que son suficientemente perceptivos, pueden ver nuestras emociones y pensamientos. Naturalmente, cuando se trata de la cara, que es el aspecto más visible de nuestra piel, gastamos grandes cantidades de dinero mejorando sus rasgos con cirugía y maquillaje, para proyectar la imagen de lo que nos gustaría.

Si no nos gusta cómo somos por dentro, constantemente tratamos de mejorar nuestra imagen externa. Nos rascamos la piel porque queremos eliminar las imperfecciones, internas y externas. Pero eso nos produce más imperfecciones y el proceso continúa (en nuestra mente), pues deseamos lograr la perfección.

Causas emocionales

Como ya mencionamos, la piel está relacionada básicamente con los límites y la comunicación. Rascarnos o hurgarnos la piel es una forma de ver lo que *llevamos debajo*, lo que está molestándonos. Hacerlo nos produce una gran satisfacción y placer, porque sacamos lo que se esconde, como la sustancia que emana de un poro o un barro. Al rascarnos liberamos el aburrimiento, la ansiedad, la tristeza y el estrés emocional.

Los problemas de la piel son una indicación de que nos disgusta lo que mostramos al mundo de nosotros. De alguna manera, queremos o sentimos que deberíamos tener menos imperfecciones y buscamos cómo rectificar el problema rascando nuestras faltas, lo que nos hace sentir mejor cuando lo hacemos, pero culpables y avergonzados después.

Demuestra lo mucho que nos desagradamos y lo diferentes y lejanos que nos sentimos de quienes nos rodean, porque nos da miedo mostrarles nuestro verdadero yo, en caso de que también compartan con nosotros la sensación de que no valemos nada.

Regeneración de la piel – estrategias para sanar

Los tratamientos son similares a los de otros hábitos de autoflagelación. Terapias cognitivas del comportamiento[5] son usadas con frecuencia para ayudar a comprender qué desencadena el problema. Una vez que se sabe, también se enseñan estrategias para enfrentarlos. El uso de guantes, vendas, etcétera, ayuda a reducir el estímulo sensorial, que es parte del rascado. Hay una página en internet, stoppicking.com (que está en inglés), que tiene un programa en el que se hace un compromiso diario con la intención de ayudar a las personas para que comprendan mejor el problema y trabajen para sanarlo.

Todos los programas que te estimulan para trabajar en el mejoramiento de tu imagen y autoestima son muy buenos, así como la terapia para trabajar la autoaceptación, liberación de la vergüenza y la culpabilidad, y desarrollo de la voluntad. Sanar es posible y, aunque puede haber una regresión ocasional, en vista de los perjudiciales efectos físicos y emocionales, es necesario. En muchos casos, es más fácil trabajar con una organización o con un profesional, que intentar solucionar el problema uno mismo, por eso es recomendable que se busque ayuda.

ROBO EN TIENDAS

Cada año se gastan millones en un intento por evitar que la gente robe en las tiendas; en Estados Unidos, los hurtos en tiendas cuestan al público 33 mil millones de dólares al año.[6] Pero a pesar de los equipos de alta tecnología, el problema continúa. Los robos en tiendas son una de las principales causas por las que las tiendas pequeñas fracasan, y la incidencia va en aumento.

Una vez trabajé para una compañía que vendía artículos deportivos. Un día, los ladrones se las ingeniaron para salir de la tienda, sin ser detectados, con un exhibidor metálico de un metro de largo, en el que estaban colgadas varias prendas deportivas de moda, muy costosas.

El perfil del ladrón de tiendas es variado, no existe ninguno en términos de edad, raza, sexo o nivel socioeconómico, aunque un alto porcentaje (25%) son adolescentes.[7]

Su incidencia es resultado de:

- Actividad profesional – robo en tiendas como medio de subsistencia.
- Gusto por las emociones.
- Sensación de que tiene derecho – el gobierno-mundo-compañía me lo debe.
- Respuestas socioeconómicas – cuando la gente no puede adquirir ciertos objetos.
- Hábito.
- Reacción a ciertos problemas psicológicos, como la cleptomanía.

Entonces, cada ladrón tiene una causa diferente. Sin embargo, las repercusiones, como encarcelamiento, no hacen la diferencia entre los diversos tipos.

Los profesionales

Los ladrones profesionales van en busca de objetos con precios más elevados, y casi siempre saben con exactitud qué van a robar cuando entran a la tienda. Quizá roban en las tiendas en vez de trabajar, o para mantener una adicción, a las drogas, por ejemplo. Por lo general, tienen una red de contactos a los que les venden los objetos robados. Se resisten al arresto y sus acciones no les causan remordimiento. Como dato curioso, cabe mencionar que existen varios sitios web escritos por ladrones profesionales que, como lo indica lo que escriben, consideran que la profesión que eligieron les da mucho prestigio.

El amante de las emociones

La mayoría de los adolescentes entra en esta categoría, en donde lo robado no es tan importante como el acto. Robar no sólo les da prestigio dentro del grupo de amigos, también es una emoción fuerte. No necesariamente entran a la tienda con la intención de hurtar, pero lo hacen si la oportunidad se presenta, como medio de obtener objetos que no pueden pagar o para mejorar su prestigio entre sus compañeros.

Los "ladrones con derecho"

Los ladrones con derecho se sientes especiales, como si las reglas de la sociedad no aplicaran para ellos. Se creen superiores a los demás. Las leyes, las reglas y las normas aceptadas son el yugo que otros aceptan, no ellos. Viven en un mundo ajeno a las cargas que crean para los demás; en este caso, el incremento de precios debido a las enormes cantidades de objetos robados. A menudo, son personas adineradas llenas de lujos, a quienes nunca se les impusieron límites. Les daban lo que pedían. Nunca se les obligó a ser responsables de sus acciones, y se volvieron adultos egoístas, impulsivos e inmaduros.

En esta categoría también entra la gente que siente que, por haber pagado una habitación de hotel, tiene derecho a llevarse parte de su contenido. Quizá les da terror que los arresten y tratan de justificar sus acciones.

Problemas socioeconómicos

En contraste con el típico "ladrón con derecho", algunas personas carecen de atención, cosas materiales y amor cuando son niños. Entonces, como adultos, sienten que tienen derecho a tomar lo que necesitan para compensar lo que no tuvieron en la infancia.

En las comunidades pobres, sin derechos, donde existe una gran diferencia entre los que tienen y los que no, la gente que no tiene acceso a la misma educación ni a oportunidades de trabajo equitativas, cree que tiene derecho a tomar lo que no puede comprar. Es simplemente un medio de supervivencia.

El ladrón habitual

Así como el fumador necesita fumar, el apostador hacer apuestas, los ladrones habituales necesitan robar hasta el punto en que si no lo hacen, equivale a pedirle a un alcohólico que no beba. Para ellos, hurtar es emocionante y representa la oportunidad de vengarse de una sociedad que consideran les ha fallado. Lo que roban es irrelevante, el riesgo es emocionante. Por desgracia, esta emoción puede volverse adictiva, y lo que inicia como una aventura se vuelve un hábito, porque desean recrear la emoción inicial.

El robar ayuda a liberar grandes cantidades de ira reprimida y de frustración, así como presiones emocionales y estrés. Éste vuelve a acumularse hasta que se roba el siguiente objeto. Así, robar se vuelve la manera habitual de reducir las emociones negativas no expresadas.

Cleptomanía

Los cleptómanos actúan por un impulso, no planean robar y por lo general toman objetos que no les sirven. Sólo el 5% de los ladrones de tiendas entra en esta categoría, del cual mujeres alrededor de 35 años son las principales perpetradoras. Este comportamiento es más una respuesta emocional a la confusión y no está motivado por la venganza o la necesidad. Con frecuencia, los cleptómanos sufren otros trastornos psiquiátricos, como depresión severa y ansiedad. Hay cierta evidencia que sugiere que algunas anormalidades en la serotonina, un químico que se encuentra en el cerebro, pueden ser la causa.[8] Sienten poca o nada de culpa por sus acciones y les sorprende el alboroto si son atrapados. Es posible que experimenten tensión, la cual liberan al robar.

Formas favoritas de robo

La bolsa es el método más usado para robar; otros ladrones son más ingeniosos, usan carriolas y paraguas para meter los objetos. El periódico también es muy útil para artículos pequeños, igual que "guardar en la entrepierna", es decir, el objeto se desliza entre los muslos y el ladrón sale de la tienda sin ser detectado. ¡Con esta técnica, se han robado desde piezas de jamón hasta máquinas de escribir! Otro método es salir del vestidor con varias prendas de ropa que no se llevaban al entrar.

Algunos ladrones más descarados simplemente toman lo que quieren, confía en el miedo y la respuesta lenta por parte de los empleados de la tienda para irse con la mercancía. En un stand de una expo, se robaron varias computadoras a sólo unos metros de distancia de los dueños. En otra ocasión, bajo el brillo de intensas luces durante el lanzamiento de un auto de lujo, los ladrones se llevaron varias partes del coche y se fueron sin ser detectados.

Cómo detenerse

Date cuenta de que lo que haces es muy peligroso. Si te atrapan puedes ser condenado a prisión o a prestar servicio a la comunidad. Ahora, si lo que buscas es venganza, la sociedad tiene la última palabra. Robar no es una manera de desquitarte de la sociedad, donde existen leyes. Si sientes la tentación, visualízate siendo aprehendido y los efectos que esto podría tener en ti y en tus seres queridos. Es posible que haya problemas subyacentes, como depresión, que te llevan a robar. Busca ayuda antes de que te atrapen. Otra sugerencia es que encuentres una actividad positiva que sustituya al robo.

Notas

1. Tomado del resumen de una investigación encomendada por los samaritanos y realizada por el Centro para la Investigación del Suicidio, Universidad de Oxford.
2. Una encuesta nacional sobre autoflagelación arrojó un incremento alarmante en llamadas hechas a la línea de auxilio infantil Childline. Noticias del 6 de septiembre de 2004 publicadas en www.mantalhealth.org.uk. Fuentes: www.nhsdirect.nhs.uk www.selfharm.UK.org, la Organización Nacional para los Niños: www.ncb.org.uk, www.mind.org.uk, Childline UK 020001111 o www.childline.org.uk. Samaritanos: 08457-909090, Parentline Plus:0808800-2222.
3. Centro de Tricotilomanía (Trichotillomanía Learning Center, Inc.) www.trich.org.
4. *La Sagrada Biblia*. Edición St. James, Jueces 15, 16:15.
5. Investigación realizada por Sabine Wilhelm y sus colegas del Hospital General de Massachusetts y la Escuela de Medicina de Harvard en 1998, extraída de: www.stoppicking.com.
6. Encuesta sobre Seguridad Nacional, 2002, extraída de: www.crimedoctor.com/shoplifting.htm.
7. Sitio web: kidshealth.org/teen/school_jobs/good_friends/shoplifting.html.
8. Sitio web: www.psychnet-uk.com/dsm_iv/kleptomania.html.

Contenido

TÍTULOS DE ESTA COLECCIÓN

50 formas sencillas de consentirte
50 formas sencillas de consentir a tu bebé
365 maneras de energetizar tu cuerpo, mente y alma
365 formas para relajar tu mente, cuerpo y espíritu
Aromaterapia para practicantes. *Ulla-Maija Grace*
Automasaje en los meridianos y acupuntos. *Wang Chuangui*
Baños sanadores con aromaterapia. *M. V. Lazzara*
Bodynetics. *Gustavo Levy*
Canalización. *Roxanne McGuire*
Colores y aromas. *Susy Chiazzari*
Cura tus alergias y goza de tu vida. *Martin F. Healy*
Do-In. *May Ana*
Drogas peligrosas. *Carol Falkowski*
Duerme profundamente esta noche. *B. L. Heller*
Energía y reflexología. *Madeleine Tourgeon*
Escuchando a tu alma. *Dick Wilson*
Herbolaria mexicana. *Dr. Edgar Torres Carsi*
Hidroterapia. La cura por el agua. *Yolanda Morales*
La anatomía energética y la polaridad. *M. Guay*
La autopolaridad. *Michelle Guay*
La ciencia de los chakras. *Daniel Briez*
La clave bioquímica. *Barbara Schipper-Bergstein*
La historia del masaje. *Robert Noah Calvert*
La mente. Masajes mentales. *M.E. Maundrill*
La música... el sonido que cura. *K. y R. Mucci*
La próstata. Tratamiento, prevención y cuidado. *Dr. A. E. Katz*
Lo que los hábitos dicen de nosotros. *Ann Gadd*
Las maravillas del masaje. *Imelda Garcés Guevara*
Manual completo de esferas chinas. *Ab Williams*
Masajes corporales. *Esme Floyd y Paul Wills*
Masaje de manos y pies. *Mary Atkinson*
Masajes para bebés. *Gilles Morand*
Meditación práctica. *Steve Haunsome*
Naturopatía
Reiki. Guía práctica. *Bill Waites y Master Naharo*
Reiki plus. La curación natural. *David G. Jarrell*
Reiki plus. Manual de prácticas profesional. *Jarrell*
Relajación inmediata. *Alain Marillac*
Renacer con las flores de Bach. *Fils du Bois*
Respiración. Método básico. *K. Taylor*
Salud con colores. Guía práctica. *Graham Travis*
Sanación. Reiki. *C. G. Peychard*
Sanación natural del dolor. *Jan Sadler*
Sanación solar. *Richard Hobday*
Siéntete de maravilla hoy. *Stephanie Tourles*
Toque budista de sanación. *Yen, Chiang y Chen*
Tu cabello naturalmente sano. *M. B. Janssen*
Tu cuerpo y sus secretos. *Jocelyne Cooke*
Tu rostro y sus secretos. *Jocelyne Cooke*
Tus lunares, ¿qué expresan? *Pietro Santini*
Tus pies. Su cuidado natural. *S. Tourles*
Un arte de ver. *Aldous Huxley*
Yoga para las tres etapas de la vida. *Srivasta Ramaswami*
Yoga. Para vivir en armonía y plenitud. *I. Garcés y E. Flores*

Impreso en los talleres de
MUJICA IMPRESOR, S.A. DE C.V.
Calle Camelia No. 4, Col. El Manto,
Deleg. Iztapalapa, México, D.F.
Tel: 5686-3101.